清 陳鏡伊編

道德叢書 之十五

冤孽

訴冤篇、顯惡篇
報仇篇、現形篇
索命篇、投生篇
冥罰篇、夙孽篇
心鬼篇
附 地獄寫眞記

世界書局

道德叢書之十五

含冤受屈　此心不死

投生索債　坿體自戕

孝直上表　何斂受訴

載之正史　班班可詳

冤孽 道德叢書之十五

江蘇海門陳鏡伊編

目錄

（一）訴冤篇

（二）顯惡篇

（三）報仇篇

（四）現形篇

(五) 索命篇

（六）投生篇

（七）冥罰篇

（八）夙孽篇

夙孽 七則

（九）心鬼篇

疑心生鬼 三則

冤氣化蛇

冤孽 道德叢書之十五

（一）訴冤篇

冤魂上表

江蘇海門陳鏡伊編

孝直漢景帝時爲長安令。志性清慎。政聲遠聞。所乘馬日行五百里。雍州刺史梁緯與帝聯婚。強索其馬。不獲。密搆人誣直受贓下獄。直使人告妻子曰：「刺史陰謀欲奪我馬。汝等幼弱。未能申雪。我死可將紙筆置棺中。以便奏白。」果死獄中。家如所囑。後旬日帝大會羣臣。直於殿前上表曰：「臣少忝宦途。頗彰清慎。不謂刺史梁緯心縱貪婪。勢連內戚。欲臣所畜之馬。加臣枉死之刑。上訴皇天。許臣雪冤。用敢以聞。』并粱緯不法二十一條粘狀尾。景帝覽表訖。忽不見。甚以爲異。詔收粱緯下獄。勘詰枉殺孝直及諸款事事不虛。詔將粱緯往孝直墓前斬而祭之。追贈直尚書郎。時人爲之語曰：『莫言鬼無形。杜伯射宣王。莫言鬼無身。孝直訟生人。』

冤魂告狀（一）

漢何敞爲交州刺史。行部蒼梧宿鵲奔亭。夜深。一女子從樓下出云：「妾姓蘇名娥。夫亡。有雜繒二十端。婢一人名致富。孤貧不能自振。欲往旁縣賣繒。賃車至此。日暮至亭。長家取火。亭長龔壽操刀至前。捉臂欲污。妾不從。壽即刺妾死。幷殺婢。掘地埋之。取財而去。妾。冤。死。無。訴。故來告。」敞曰：「欲發汝屍。以何爲驗。」女曰：「

妾上下皆白衣青絲履。猶未朽也。」掘之果然。敞遣使捕壽。拷問具服。敞乃上言。謂壽殺人隱密。經年王法所不能得。冤鬼自訴千載罕有。請戮之以助陰誅。上從之。

冤魂告狀（二）

漢王忳爲郿令。到官至斄亭。亭長曰：「亭有鬼。數殺過客。不可宿也。」忳曰：「仁勝凶邪。德除不祥。何鬼之避。」即止宿。夜中聞有女子稱冤之聲。忳曰：「有何冤狀。可前求理。」女曰：「無衣不敢進。」忳投衣與之。女子乃前訴曰：「妾夫爲涪令。之官過宿此亭。亭長枉殺妾家十餘口。埋在樓下。盜取財貨。」忳問亭長姓名。女曰：「卽今門下游徼者也。」忳曰：「汝何故數殺過客。」曰：「妾夜陳冤。客不見應。不勝憤恚。故殺之。」忳曰：「當爲汝理此冤。勿

復殺善良也』因解衣于地忽然不見明旦召游徼詰問具服罪同謀者十餘人悉伏辜亭遂安

冤魂告狀（三）

晉張掖督郵傳曜考覈屬縣丘池令尹興殺之投諸空井曜見夢于三河王呂光曰『臣張掖小吏案校諸縣丘池令尹興贓狀狼藉懼臣言之殺臣投于南亭空井中臣衣服形狀如是』光寤而猶見之久之乃滅遣使覆之如夢光怒殺興

冤魂告狀（四）

北史高昂胆力過人人比之項藉使奴京兆探西軍京兆取昂佩刀以行昂執殺之兆曰『三度救公大急何忍以小事見殺』其夜夢兆以血塗已寤而怒使折其二脛時劉桃棒在渤海亦夢京

兆言「訴得理將公付賊」昇尋與西人戰敗爲追者所斬

冤魂告狀（五）

北齊尚書左丞盧斐巧伺上意致位大僚時有陽翟太守張善貪虐著聞御史魏輝儁奉詔治之罪狀皆實文宣帝命斐覆驗善乃行賂斐不爲別白而反指輝儁枉法擬死罪而善倖免就市日遺語令史曰：「我無罪君所知也當具紙筆置骸骨傍將訴之陰府矣」一日善暴死未幾斐坐罪帝命斬之

冤魂告狀（六）

延平司李程君從直指使行部至泰甯宿公署夢有緋衣投謁稱同鄉生者見之容甚慼問之曰：「我前令鄒也中某胥毒而死數載矣以公嚴明故相告其受胥指而寘毒者門役某也」語畢大

慟而寤。程大駭。翼日驗籍。果有門役某而無胥名。問之他隸。隸曰：「數年前曾給役此。今謝去矣。」計其時。適當鄒君為令。程意解。立捽門役掠問。具吐為胥毒令狀。蓋鄒初涖殊嚴。介已靡得胥姦利事。而未即發。胥懼。賄門役以毒物入茶杯中。鄒即喑不能語。衆皆以為卒中惡死。無由辨也。於是捕胥對質。亦具服毒令狀。獄具駢斬本邑以徇。而泰甯所部。暨鄒令家。乃知鄒君之死由此。莫不切齒恨胥。又快其報之顯速。以為有天道云。鄒君名守嘗戊辰進士。江西豐城人。程君名九萬。乙丑進士。江西饒州人。夢中所謂同鄉生也。愚山子曰：「傳有之。匹夫強死。其魂魄猶能為厲。況鄒君賢令乎。靈見白日。此以知冥理之不恍惚也。小人之敢為惡者。謂無天也。無天而有鬼。惡亦安可為乎。況未嘗無天乎。」

冤魂告狀（七）

衡水某婦與豪右通。而謀殺其夫。屍姪首官。豪以金賂胥吏。報屍無傷。轉坐誣。復訴之按察使。委縣令鄧公往按之。亦無證據。夜宿館舍。披閱供語。思惟間。漏三下。從者盡鼾寢。驟覺燭光黯淡。陰風窣律。壁角一人。乍前乍卻。倏跪案下。微作啜泣聲。若有所請。公心悚。口噤。凝神諦視。隱似日間所相屍。右耳垂一物。如白練。鄧忽悟。乃大言「爾去。吾必雪爾冤也。」鬼稽首而滅。燭亦驟明。遂折柬召衡水尹。飭督吏仵至屍所覆驗。衡水尹笑曰：「人謂鄧公書癡。良不誣也。作令十年。家無寸儲。其才可想矣。似此公案。豈拙宦所能辦哉。」勉強復往。鄧叱檢視右耳孔。仵作即失色。乃於耳中取出水濕棉絮約略半斤。鄧曰：「此奸夫淫婦之所以得志也。」遂榜掠之。盡得前後姦狀。寘之法。

冤魂告狀（八）

江寧人劉某。為某衙門差役。有一犯問罪收禁。須十餘金可贖罪放歸。犯因挽劉到家。賣女以贖罪。劉即往與其妻商議。妻頗有色。劉欲姦之。妻以夫之性命。賴其扶持。勉從之。隨賣女得二十金。盡付為贖罪使費。劉持金自用。不為交納。其妻以銀已交。官夫可計日歸也。候數日無音耗。煩一族人來探。因言其故。犯一慟而死。旬日。劉差寒熱交攻。自言某人在東嶽告我。即刻要審。伏席哀號。自云。該死。隨云。『以我慣說謊。要將鐵鉤鉤我舌頭。』須臾舌頭伸出數寸。一嚼粉碎。血肉淋漓而死。

冤魂告狀（九）

康熙乙亥。蘇郡大水。某村有孕婦。以夫臥病乏食。乃抱三歲兒入城借米。得四斗歸。遇雨困憊。近家里許。不能復負。見一家門首有童子。以米寄之。約其置兒來取。童子商諸母。遂屏匿之。婦畏夫不歸。且腹中甚餓。遂縊死屋旁。夫失所依。未幾亦死。次年六月。匿米者遷至郡城養育巷。忽作鬼語曰「吾於某處訟汝。即雷部亦告準矣。不三日。雷電交作。提母子於庭中擊殺之。婦屍猶抱童子。時清康熙丙子年七月初三日也。【按】若據後儒言之。則此母子兩人。不過陰陽不和。偶然震死耳。世人聞之。其心泰然。竟無忌憚矣。

冤魂告狀（十）

洪州司馬王簡易得腹疾。中有塊。隨氣上下。既絕復甦。謂其妻曰：「吾舊使小奴偶因約束太嚴。遂至斃。適至陰司。被小奴持訴。不

可。解。今。腹。中。物。正。彼。作。祟。吾不久矣。」妻曰：「小奴安敢如此。」曰：「陽間有貴賤陰司則一般也。」未幾果卒

現形自訴

梁甄法崇爲江寧令在任嚴整縣境肅然。于時繆士通爲江陵令。卒。官法崇在廳事。士通前見法崇知其已亡。士通云「卿縣人宋雅負米千餘石不還令兒窮儆不自存故自訴」法崇命口授爲辭。因傳宋雅問有否雅狼狽輸送。聞者異之。

冤鬼質審

穆某姚某二人自幼同筆硯相交最厚。姚有舅張仲先出外經商。其家房屋甚多。且幽靜有花木。姚邀穆吟誦其中。仲先有女已及笄。姚係外兄相見不避男貪女愛。遂有桑中之事。一日穆因家務

須歸。行至半路。忽憶有銀二兩置牀頭未收。回至書房。遇二人正在行淫。女見穆。掩面遁去。姚跪求勿洩。許以重報。穆亦不望報也。及姚登第。爲滕縣尹。屢書邀穆。穆至任所。姚一見歡然。握手曰：「曩蒙兄愛。久未圖報。今幸得微名。宿願可酬矣」。穆不便回答。但愧荷而已。送居僧舍。每有關說。輙辭事小未足償德。適有富家誤殺佃戶。姚語穆曰：「非三千金不可」。又曰：「講說官事。須得現物。過後則難索也」。穆信之。與富家言定。封藏。及赴鞫。則姚變色加刑。斷富家抵償。富家疑穆。撞騙。供詞連及。差役至寓。搜出原贓。並穆申詳臬司。姚復用銀五十兩。賄囑隸役。斃穆杖下。一夜燈下檢閱文書。聞窗外有鐵鍊之聲。從者啓扉。見牛頭獄卒無數。慌忙告姚。姚亦惕然。就寢。夢攝至閻羅王殿。跪於階下。見穆蓬垢流血。

與己對質。王切指呵責。命卒以尖刀刺姚頸。血噴丈餘而醒。次日其頸遂癰。漸大如斗。日見穆來索命。頭斷而死。其臬司受賄。皂卒俱被追去。

冤鬼蒞廷

潘獻策娶妻尤氏。有殊色。生二子。潘父母年老。家業蕭條。門首開雜貨店。覓蠅頭餬口。一日進內吃飯。尤氏看店。有陳育民者。家業甚豐。酷好女色。是日從店門經過。一見尤氏。魂銷志喪。故作進店買貨。希圖飽看。尤氏喚夫出。陳隨意點買諸物。計價銀二兩四錢。謂潘曰：「看君大有才幹。爲何株守在家。」潘答以無人提拔。陳曰：「我目下正覓夥計。君肯爲我經營乎。」潘知陳是財主。拜而謝之。陳笑而別。稍刻帶一家人來取貨去。留銀四兩。潘辭以太多。

陳曰：「正擬與兄作長久交。切勿過謙」自是遂成莫逆。陳出本百兩付潘販貨。得利二十兩。陳祇取一兩。曰：「兄留以供父母。我得初次躬頭足矣。」遲數日又付本二百。潘得利四十。陳分文不取。曰：「近訪江西荳價甚昂。我與兄與販數千石。到彼可得重息。那時照利均分。未爲遲也。」陳果出銀三千兩。邀潘同行至河南採買。畢南下至河口縣泊舟石鍾山下。水溜湍急。陳呼潘坐船頭閒話。乘其不備。推之落水。潘從水中翻起。陳用篙一戳。潘仰面隨流淌去。陳方大呼撈救。波浪滔天。已不知屍飄何處。衆惟嘆息而已。陳後歸家。向潘父母哭告曰：「令郎失足墮水。不能撈救。我之罪也。」將所帶行李查交。復厚贈銀兩。潘合家感陳是好人。不疑謀害。三年孝滿。潘老一貧如洗。欲嫁媳以活兩孫。陳聞信大喜。央媒說合。尤氏不肯。潘老勸之曰：『陳家大富。爾去受享。我亦放心。又早晚可以照看兩孫。且歷來所借銀米。俱有筆約。爾若嫁伊。前欠可銷。』尤氏乃肯。擇日過門。陳愛如珍寶。尤氏連生二子。彈指十八年矣。時值溽暑。陳命治酒水亭。與尤氏看荷乘涼。見池中一蝦蟆攛水而出。尤氏以竹杖擊之。沉水須臾復出。尤氏重擊之。蝦蟆仰面而死。陳不覺失笑。乘醉吟曰：『迴思十八年前事。宛是蝦蟆落水時。』尤氏詢其意。不肯言。固問之。方曰：『我與爾恩愛多年。生子生孫。諒亦無礙。』乃備言前事。尤亦佯笑。將紙筆付陳。錄出前詩。次日赴縣呈告。縣令拘陳到案。陳方強辯。忽起陰風一陣。黑影中見一水死鬼。跪地索命。陳神色如痴。供吐不諱。遂擬抵。尤氏嘆曰：『我以顏色殺二夫。何以生為。』乃於尼庵自經。陳潘兩家之子。爭屍歸葬。成訟。縣令斷屍歸潘。而令陳子附祭。

冤魂訴情

劉宋元嘉中。諸葛護爲元眞太守。尋以疾亡。其家眷猶在揚都。僅一長子元崇扶柩歸。年方十九。護之門人何法僧利其貲。擠元崇於水而分其財。是夜元崇母陳氏夢元崇歷道其父亡時顚末。及被何溺死之事。悲不自勝。且云「行速疲倦。暫臥窗前牀上。以頭枕窗」。夢甚淸楚。悲號而覺。遂執燈照牀上。果有濕氣如人形。由是舉家號泣。時陳氏有表弟徐道立。適爲交州長史。徐森之爲交州太守。託其按驗。果如夢中所言。乃收其行兇二人。皆寘於法

(一一) 顯惡篇

自投衙門（一）

清康熙二十二年山西祁縣劉姓平素無惡不作。通邑切齒。忽一日自詣縣治。兩手自然反接。口稱奉縣城隍命投到。求本縣起解至府城隍問罪。令以爲心疾。逐出。復來兩手俱無繩而數人擘不可開。如此數日。令不得已爲具文遣差牒送府城隍。至即焚牒。劉即伏堦下號呼痛楚。若受朴者。頃刻受刑處俱青黑破爛。刑畢起自言府城隍發回本縣遊各門示衆。仍反接而出。若有押者。至縣循行各門。凡平日所作過惡。一一高聲臚列。且云「無若劉某爲惡。現世受報也」。游畢七竅流血而死。觀者日數萬人。

自投衙門（二）

衢州杜甚爲洛陽尉。城南午橋失火。七人皆焚死。不知何自也。忽有一人爲門者執至有曰『此人適來若大驚恐狀再馳入縣門復馳出故執之』訊其人則曰『某卽焚午橋民家者也同伴五人刼財物數千恐事泄因殺其人焚其室如自焚死者挈財至城舍欲偕伴出外輒坎坷不能去晨出道德坊南行忽見空中火六七團大者如瓠小者如杯遮截於前因北走復有小火直爇心腑四面旋繞逼入縣門及入則不見火心中火亦盡出門火復如故自知必不免矣』杜悉擒其黨殺之贓盡獲焉

取斧自斫

明末吳下有秦生者力學多才尤工歌詩樂府惟好作謔語誚世或見人形貌不堪識面而一詩立就或聞人作事可笑入耳而一歌已成其窗友黃緣入泮作游庠詩一百韻賀之其鄰人帷薄不

修。作黃鶯兒十首贈之。繪影寫風。窮工極巧。流播遠近。因此屢遭困阨。晚年病瘧發狂。自啖其糞。取刀劙舌。嚼而吐之。臭達戶外。又取斧自斫。節節支解。破胸裂腦而死。

操刀自剖

嘉靖中。長洲丁戌客遊燕。與一壯士相悅。結為死友。亡何壯士以盜敗。倉卒授數百金於丁。曰『君以此營救我。給我饘粥。死則葬我。餘任君取之。』丁利其金。且虞禍及。賄吏斃之獄。越三年。歸吳。舟中忽作鬼語詈曰『爾好負心。今得相報矣。』因對衆述所以。舟人曰『固然。但我等何罪。今殺於舟。柰為吾累。何盍緩之。』鬼唯唯。丁遂趨。及抵家。即反目作聲如前。取鎚自落其齒。家人奪之。則操刀自剖其胸。又奪之。則以指自抉其目。血流滿地。觀者環堵同里張伯起問之曰：「汝既報冤。何待三年。」曰：「向繫獄。近得赦始出耳。」丁遂死。蓋隆慶改元大赦也。

操刀自割

秀水屠戶潘琪積惡如林。一日死而復活。謂其妻曰：「我死入地獄。」閻君曰：「善惡之報。如影隨形。但陰陽阻隔。死者受罪。生者不知。故受者方苦。作者愈熾。人或勸之。則疑而不信。深可哀憫。今潘琪之惡已極。宜著令還陽。顯報大衆。使之畏懼。因命鬼使押我回來。」言畢。急起奔至大街人多之處。大叫曰：「看我今日報應。」即向屠桌上取刀自割其下陰曰：「此我偷淫之報也。」又自砍其一手曰：「此我殺生之報也。」又自剖其心腹曰：「此我陰毒之報也。」願世人勿學我。言畢倒地。大衆屬目。遠近傳宣。無不驚懼。此康熙三十八年七月事也。

奪刀自割

康熙五年。永平縣舉人李司鑑因中式後。以惡爲能。貫盈犯罪。赴審過城隍廟。忽奪屠刀自詣廟中戲樓上。口稱城隍責你不該聽信鄉黨是非。令割去耳朵。即自割兩耳擲於樓下。城隍責你不該奸人婦女。令割去腎囊。即自割腎囊擲於樓下。市人聚觀良久乃死。事見邸報。

以刀自刺

郭霸以濫殺有功驟得五品。經月即患危病。臺官至問疾見老巫曰：「郭公不可救也。有數百鬼遍體流血攘袂斷音迭齒。皆云不相放」。一碧衫人喝緋衣人曰：「早合去。何遲許」。答曰：「向緣未得五品耳。』俄而霸以刀自刺乳下曰：「大快。」其夜卒。是年大旱。至霸死而雨足。天后問外間有何事。郎中張元一曰：「外有三慶：旱降雨。中橋成。郭霸死。皆可慶也。」天后笑曰：「霸見憎如此耶。」

刃腹封肌

胡某歙人。康熙間爲秀水縣刑席。每盛夏不欲見人。獨處樓中。凡案牘飲饌。相繼上下。一日薄暮。僕從聞樓頭慘號聲。急梯而上。則胡赤身仰臥。自剸刃於腹。封肌膚如刻畫。血被體。問之曰：「曩客湖南某縣。有婦與人私。夫被殺。婦首於官。吾恐主人罹失察處分。作訪拏詳報。擬婦淩遲。頃見金甲神卒婦來。刃吾腹。他不知也。」號呼越夕而死。夫律例一書。於明刑之中。矜恤曲至。犯罪自首一條。網開一面。乃求生之路。删改而致之重辟。是死於胡。非死於法也。鬼之爲厲。宜矣。

引刀自裁

江西玉山縣北紗谿黃某者。鄉農也。娶妻某氏。荊釵裙布。饁餉之餘。又勤擘績。生一子甫四歲。中年以後。得此寧馨兒。夫婦鍾愛不離。襁褓田家風景。五雞二彘。孳蕃繁多。黃某以內助得人。日出而作。家政盡委於其妻。一日指剛鬣向氏曰：『若可沽此。爲質酒券也。』氏曰：『値幾何。』黃曰：『苟獲洋蚨十二枚於願足矣。』語竟。荷鋤匆匆去。去時有客鬻豕至。叩其値。氏具言夫已定議。非白金十二餅。弗敢售也。其人竟不與較。如數予之。氏得銀。立於庭隅伺鬻豕者之招笠也。其人曰：『唇間液涸。乞覓杯茗解渴。』氏敲火煎茶。遂將所與價值。置於巾箱。自入廚下。詎料鷺豕者伺氏赴廚。潛入內室。竊原值而懷之。茶至。則飲如長鯨。匆匆驅豕去。氏初不疑阿堵物化為黃鶴飛也。無何。黃某戴笠還家。氏欣欣然有喜色而相告曰：「豕值果如君言。」黃喜。入內徧索巾箱。竟屬空虛。氏輟績索之。而仍不得。黃曰：「卿為鷺豕人所愚耳。」氏泣曰：「豕行遲遲。妾追之。或可及也。」即曳尺布。負襁其子。沿途訪覓。行五六里。計力已困乏。適傍溪有野碓。水舂聲與波應。見近鄰一叟在傍。氏具述失銀事。因釋孤雛於碓隅。乞叟暫一顧盼。妾卸重負。縱步而行。往返應不需移晷。叟頷之。氏遂孤身去。時已薄暮。前路茫茫。杳無形影。一徘徊間。而星火滿村。千萬點矣。不得已。泣反故道。甫踐碓場。即作喚兒聲。叟曰：「呱呱者。纔戲水耳。」氏四壁搜尋。迄無人迹。急燃火四照。忽覩兒身首俱成虀粉。血淋淋然。碎於水輪之下。蓋氏兒偶至輪邊。衣被碓齒絆入。一旋轉而骨粉矣。氏見兒死非命。哀痛情切。縱身入水輪。未及轉瞬而氏又死。叟赴救不及。驚惶無措。遂反關而下鑰焉。而黃某尚倚門懸望。雙眼欲穿。詎知金亡而人與俱亡。有急奔告黃者。黃一慟氣絕。泣不成聲。旋以謀命告於邑宰。宰訊得情。罰叟令出衾殮。貲以爲貧人寄託者戒。仍訪拿攫金賊。案結而事亦寢矣。忽兩月之餘。距沙谿三十里之村落。時當五月。赤日行天。方演操刀赴會。鄰有某屠夫。酒氣薰人。持一利刀。飛奔上臺。指人而漫罵曰：「爾毀我家。乘我往廚中。竟將偷金攫去。致我母子身首粉碎。死於非命。尚苟活耶。」一言罷。引刀自裁。血流盈地。祇以氣管未斷。氣息如綫。困於牀褥。又閱月

餘。遍體潰爛。臭不可近。至蛆生千百孔而後死。嗚呼。果報至此。差快人心也夫

以錐自鑽

山陰徐文長名渭。恃才放誕。遊杭州禪院有僧寒淵守戒律。不善逢迎遊客。渭至不起立。渭謂慢已也。深嫉之時浙撫胡公某與渭交往。渭極言禪院可觀。胡公便與偕往。渭先令童子以女鞋一雙。密置寒淵僧榻中。渭隨胡公入室。佯作覓草紙而女鞋露矣。胡公怒甚。問是誰榻。渭以寒淵答。胡公立提至法堂。斃之杖下。而寺僧盡遭枷責。逐出境外。後暑月到家。入臥房。見其妻裸體在床。與一男子交合。渭忿恨。持板凳擊之。定目視之。乃其妻獨臥。擊破其腹而死。實未嘗有男子也。有司以無故殺妻。論死。擊獄而浙中紳衿

憐其才。共爲解冤。以誤傷律減出。晚年忽生黑疾。遍身癢不可忍。以利錐鑽其骨。流血如注。稍定片時而已。如是經年。鑽腦而死。

以手自勒

太原彭繼祖生二子。長曰寬。次曰容。寬狠戾橫暴。不讀詩書。容慈祥仁恕。好學不倦。其母性嚴。鞭朴婢妾無虛日。皆寬贊成之。一日檢箱篋。失珠花二枝。疑僕婦劉氏婢女夏荷偷盜。嚴拷二日。死不承認。容時年方十二。見之不忍。諫其母曰：「珠花值價幾何。」答曰：「值百金。」容曰：「百金事小。人命關天。譬如兒不肖。花費異日分家時。兒少得百金可也。」母素愛容。聞言頗動心。寬忿然作色曰：「如此貴重之物。失而不究。何以警後。」取銅鎖匙。復將二人椮起。二人受刑不過。妄招藏鄰人陸四家內。寬以爲訊得眞情。

欣欣得意容曰：『此又誤矣。我家婢婦從不出中門。安得至鄰人家。嚴刑之下。何求不得。』乃携燈親問之。二人哭曰。『二官好人。屢次救我。泉下感激。適問所言。乃暫緩須臾之死。並非實話。』容亦泣下。好言撫慰而去。是夜二人同縊死。劉氏之夫與夏荷之父。連詞控官。罄家貲數千。方得完結。數年間。繼祖與妻相繼物故。家亦中落。容夢其亡過伯父。謂之曰：『爾兄威逼二命。陽案雖銷。陰案未結。速做好人。庶免提拿。』醒以語寬。笑而不信。踰數年。寬忽得異症。每至掌燈時。陰風吹燈。光成綠色。即兩手抱頭。眼珠突出。呼痛不已。惟容坐榻前。則稍安。每夜守之不去。一夕。寬忽作劉氏與夏荷之聲曰：『二官在此。我等陰魂不忍相犯。但冤冤相報。萬難饒恕。二官宜速避。不必爲惡人討情。』容跪求許多做佛事超度。鬼佯許之。至五鼓。容倦而歸寢。寬忽從床上躍起曰：『二官去矣。還能爲你說情否』言畢以手勒項舌出寸餘家人報容飛來省視。已不可救矣。

解帶自經

蔡生江左名士也。公車入都。館滿洲某氏家。主人故。惟主母撫一子一女。一老僕執役。已歷三世矣。會主母將嫁女。使僕徵田租。僅獲八十金。以歸。計不敷用。主母仍令僕自存。僕念身常出外。慮此銀有失。因攜入館中。密以情告蔡。乞代爲收藏。蔡納之箱中。曰：『寄此無妨也。』僕謝而去。又半月。徵得餘金。歸復命。主母并索前金湊用。僕乃往取。蔡不承。曰：『汝那得有銀存我處。』僕曰：『先生莫戲言。幸見付。』蔡怒曰：『何物老奴。敢來誣我。我替汝家教子弟。豈爲汝作看財奴耶。』僕大驚。爭辨不已。蔡又聲色俱厲。卽欲解館。主母因疑僕。立門外慰蔡曰：『先生莫動氣。吾當責此叛奴。』呼僕入痛責。索償。僕無以自明。但批頰自詈。至夜自縊而死。次年蔡入闈。精神恍惚。下帷秉燭。親筆備錄其事。自述昧心滅理。罪不可逭。解帶自經。比人知覺。體已冰矣。爲文人無行者戒。

自撈肺腸

太倉州一老儒。家素饒。祖傳一玉帶。乃奇貨也。邑令購之。以餽權要。不獲。欲陷其罪。其族子某生。最無賴。與老儒有隙。探知令意。會邑中失盜。遂投匿名詞。誣以窩藏。拘其父子於官。拷掠備至。家財蕩盡。老儒在獄中。忽夢其祖父曰：『貪令欲害吾家者。正爲寶帶耳。遭禍如此。物何足惜。但終不願入若手。使其快心也。須密遣家人攜至京獻某要津。不獨白冤。且可雪恨。至於負心家賊。吾當處之。」既覺。如言而往。要津果喜甚。囑直指按其事。令以故入人罪坐免。令既不得帶。復失官。竟怏怏死。老儒得釋歸。異其夢。然不知家賊爲誰也。未一月。族子腹生疽。肉潰肺腸俱見。大呼曰：「我不合投匿名詞。故受此報。自撈出肺腸而死。

(三) 報仇篇

冤鬼擊人

漢王宏與胡种有仇。及宏下獄。种遂迫促殺之。宏臨命終。詬曰：「胡种樂人之禍。禍將及之。」种後眠。輒見宏以杖擊之。因發病數日死。

冤鬼劈人

楊素事隋文帝。功高位尊。特以陰附煬帝。暗使隋文易太子勇。致弒帝篡立。淫暴亡國。後素于朝中見文帝持斧劈其腦。即日痛死。其子元感以謀反滅族。

冤鬼逐人

衢州虞孟文以錢十四萬買妾。頗有姿伎。嘗專房之愛。無何孟文死。其從弟仲文忍人也。強以原值畀嫂氏。領妾以歸。僅數月。妾夢故主君來責之曰『汝在此處睡。莫未便』。寤而懼。以告仲文。仲文曰『彼已死。烏能畏我』。雞鳴起奏廁。方過堂下。見持梃坐堂上。起逐之。擊之至再。走而免。遂得病亡。

冤鬼射人

周宣王殺杜伯而無辜。後三年。宣王會諸候田于圃。日中。杜伯起于道。左衣朱衣冠。操朱弓矢。射宣王中心。折脊而死。

冤鬼刺人

宋吳曦以蜀叛。時李好義爲興州正將。率衆誅曦。曦將王喜欲戕好義。爲曦報讎。及好義守西河。喜遣其黨劉昌國聽節制。好義與之酬酢歡飲。達旦。好義心腹暴痛而卒。口鼻爪指皆青黑。既而昌國白日見好義持刀刺之。驚悸仆地。

冤鬼持人

楚春卿妻常美娘。悍妒。有妾春奴。一日乘楚他出。遣人撻殺之。及夫亡改嫁。懷姙將產。三日不下。委頓將死。見春奴前來持之。驚曰：『我初無意殺汝。特撻汝者過耳。幸寬我。』春奴曰：『撻我者固不免。使撻我者又安得免。』持之愈亟。遂死。

冤鬼挾人

負情

選人解普僑居東京。匿名娟李雲娘家。雲娘罄貲助之。已授青龍尉。因娶雲娘以歸。普私計曰：『家自有婦。奈何。』舟過汴江。因推雲娘墜水。佯救號泣。舟人不覺也。數月。與其妻居官廨。見雲娘入罵曰：『我給爾選。貲爾乃擠我於江。』普引劍擊之。若滅若現。後以公事舟行。忽於水面出一手挾普入水。舟中人無不見者。

冤鬼招人

張寶知成都。聞華陽李尉妻貌美。欲私之。徧託三姑諭意。久之。妻亦心許。適尉以贓敗。寶劾奏治罪。竄嶺外。死于路。因賂尉母。強娶其妻。無何。婦病。見尉。尋死。寶亦病。夢婦告曰：『尉訴于上帝。旦夕取公輕出。必爲所執。」寶誌之。密處深房。一日暮坐。遙見竹間有紅袖招之。趨而出視。乃尉也。厲聲曰「汝黑心賊。不以紅袖相招。汝肯來乎」良久口鼻出血死。

冤鬼罵人（一）負恩

鹽城孫一致順治戌戌探花。未遇時甚窘乏。有同鄉先達某公周旋甚厚。後孫在翰苑。某公宦部曹。時給其費。未幾某公陞雲南監司。值吳逆變亂。遂陷賊。爲其所汙。逮吳逆殄滅。某公自度必罹刑憲。遂逃歸。聞孫丁憂在籍。遂潛投之。求其指示生路。且爲航海之計。孫佯好言留之。命其子出首。某公正法。而孫之子某以捕逆黨受賞註官。居無何。孫忽見某公登旗竿頂。大罵曰。「汝生平受我恩惠不少。我急而投汝。縱我罪當死。汝忍令子首我。獲賞耶。」如是晝夜不去。孫畏惡之。遂鋸其竿。鬼即入室詬罵。愈厲。且曰：『汝陽壽未盡。取汝不遠。今且令汝受苦』乃以兩手擠其腰膂。孫即大痛。不能坐起。臥病床席。若風癱然。

寃鬼罵人（二）

海寗茶磨山有庠生許濤者。康熙丙子。欲赴鄉試。貧無貲。百計無可奈何。一日。忽商於父曰：『孀年少而寡。恐終不了。何勿嫁之以爲上省之貲』。父以爲然。遂囑媒嫁之農家。而鄉俗嫁孀婦者。里中豪右皆得染指。許生所獲止五金耳。方挾登舟。其妻即病狂作叔語曰：『汝夫求功名。乃爲此滅倫之事。吾亦必拆汝夫婦。怒罵不休者數日。』其父爲祈禱醫藥。少間。而濤入闈。即覺精神恍惚。初場夜半。忽見其叔來詬罵纏擾。草草畢三藝而出。第二場則日。

間閉目即見之至晚嗔責愈厲曰：「吾必殺此無行禽獸也。」比至寓病劇不能終場十七日買舟踉蹌還離家未十里死於舟中計至家妻病始愈

（四）現形篇

鏡中見鬼

孫策無故殺于吉每獨坐彷彿見吉在左右甚惡之既而治創方痊引鏡自照見吉在鏡中顧而弗見如是再三因撲鏡大叫創皆崩裂須臾而死。三國吳志本傳注

寃鬼立前

順治間嘉興錢某未第時館於鄉民某家其一女年十七適清明

拜埽舉家皆往。止留此女看家。錢遂私焉。後女腹漸大。父母詰之。女以寔告。鄉民以錢尙未娶。欲將女贅之。以掩其醜。因詣錢。備言所以。錢故作色曰：「汝女不肖。將欲汙人耶。」鄉民忿歸。詈其女。女遂自縊。錢後頻夢此女抱子立於前。登第後授江寗司理。時以鎭江之變。將從逆諸人。發錢會勘。而錢以受賍議絞。命下之日。復夢此女以紅巾拽其頸。次日卽正法。

鬼立身旁

閻撫軍蒞江南。有訴鎭江民周志廉主盜者。志廉富民也。畏刑訊。以貨囑權貴。請寬。閻益疑之。竟杖殺廉。已而鎭江郡丞盧仁上謁。閻曰：「汝何帶四周志廉來。」仁茫然不省。閻復厲聲曰：「皂隸身旁立者廉也。」卽昏眩仆地。逾日而死。

寃鬼相隨

滁陽王勤政與隣婦通好有偕奔之約婦因殺其夫政聞大駭即獨身逃至江山縣相距七十里以爲禍可脫矣飢入飯店店主供具二人食政問其故店主曰「此披髮隨汝者非乎政驚知寃鬼相隨即到官自首男女俱服法

寃鬼隨後

嘉靖甲午浙省考官馬呈瑞入簾之夕供給官張烘夢考官入場有一女子隨後通身流血張逐之女曰「勿逐特來報寃耳」寤後以語同事無何聞呈瑞病劇監試者以張善醫令入診視之則已不可療矣臨終但云「汝爲我逐此婦」詢其僕知呈瑞前任鎮江時有妾金氏才貌兼美一日得父書倚簾而讀呈瑞自外歸

妾以新進羞澀。乃嚼吞之。呈瑞疑爲情人所寄。遂剖腹出書。氣未絕而書已出。閱訖。始深痛悔前過。其地忽心動得疾耳。世之殘刻無良者。可不知所畏哉。

寃鬼盈眸

宋王詔建議開熙河。殺人甚衆。以功陞樞密使。鄉親多相附求仕。苦無功。乃分屬諸將殺降羌老弱首級獻功冒爵。晚年悔之。因問衆長老果報之說：皆言王法殺人。如舟行壓死螺蚌。自是無心。獨刁景純對曰「但怕打不過自心耳。若打得過。自不問也。」詔益不自安。終日闔眼。後病發背。醫者欲看眼色。令其開眸。詔曰：「安敢開眸。斬頭截脚人。許多在前」遂潰爛而死。後其長子厚見怪。嘔血而死。季子寀坐天神事腰斬。

冤鬼出舍

滿少卿淮南望族。落魄遠遊。飢餓旅舍。鄰叟焦大郎憐而飯之。生感詣謝。自是杯酒親昵。遂通其室女。事露。大郎叱之。雖悔無及。遂贅爲壻。供其誦讀。夫婦相得甚歡。居二年。登第。歸拜酬盡禮。及調官。謂妻曰：「我得官便迎翁與汝。」既選東海尉。便道過家。其叔强爲娶朱從簡大夫女。女既美好。裝奩更厚。遂棄焦氏。以門戶衰微。不相匹也。絕不相聞者二十餘年。累官鴻臚卿。出知晉州。散步後堂。見焦氏自右舍出。泣曰：「一別二十年。略不垂念。眞忍人也。」生以實告。焦曰：「今吾父已死。兄弟不肖。無所依棲。千里相投。汝既有佳偶。吾願充側室。前事不必較也。」言畢長慟。生以語朱氏。朱欣然迎歸。越宿。生微醉。詣其室寢。明日門不起。呼之不應。破門而入。生已死於地。焦氏與青衣皆不見。是夕。朱夢焦曰：「滿生受我家厚恩。負心至此。吾飲恨而死。父亦抱怨而亡。今申訴幽府方獲報怨。」朱驚寤。護喪南歸。

冤鬼入室

桑維翰入相。故人韓魚通謁。維翰默然不語。魚退曰：「桑公吾故人。今見之。若有不可犯之色。」翌日：遂告去。維翰曰：「吾已薦子名授學士職。」俄有二吏持箱出。啓視。乃黃誥袍笏也。他日謂魚曰：「羌岵秀才何在。昔侮我甚。今吾在政府。彼尙處塵土中。君子不念舊惡。子爲我作書召之。當與一官。」岵至。令於府中授職。忽有白衣吏數人執之。道衢大呼羌岵謀反。岵大聲曰：「韓魚命我來授官。我何罪。」竟斬之。魚急馳救。已無及矣。哭之慟曰：「岵之死。我召之也。』卽稱疾謝歸。後維翰坐小軒。見岾來。曰：「相公生殺由已。岾昔與公同在塲屋。偶相戲耳。何報之酷如此。已訴之天帝。憫我無辜。授爲司命判官。前日之事公爲政。今日之事我爲政。」維翰遂死。手足皆有傷處。

冤鬼直入

下邳張禕家世望族。後中衰。有女孫貌麗。鄰人欲聘爲妾。禕不許。鄰人怒。乃焚其屋。禕被燒死。其子邦在外。及還知其故。畏其勢不敢與爭。且又貪其財。竟嫁與之。未幾。邦夢其父責以棄親就仇逆天不孝。以杖擊其頭。次日邦忽嘔血而死。是日隣人忽見禕排門直入。張目攘袂而至。數日而死。

白晝見鬼

雷有鄰舉進士不第。時有詔應攝官三任詳由全者。許投牒有司。卽得召試錄用。有鄰素與上蔡主簿劉偉交游。知偉雖嘗三攝。而一任失其詳由。偉僞造呈官。由是得試遇銓。遂具章告其事。下御史府按鞫。獄具。偉坐棄市。有鄰授秘書省正字。賜公服靴笏銀鞍馬勒絹百疋。自是累上疏告人陰事。俄被病。白晝見偉入室。以杖笞其背。有鄰號呼聞於外。數日而死。 宋史雷德驤傳

冤鬼乘輿 謀殺

涪州徐給事佝出守揚州。一婦一媵各生一子。婦詬媵。値公他出。殺媵及子。公歸驚仆而絕。婦以三喪歸。與其子乘輿往母家。行至山中。忽見三輿至。卽三逝者。共毆殺婦。七竅流血。輿夫從人皆白日所共見者。

寃鬼打鼓　誣陷

廣州支法存以善醫至富。有一尺毾。具百物形像。光彩耀目。沉香床長八尺。刺史王潭欲得二物。法存不與。潭遂誣奏法存豪縱不法。籍其家。悉取諸寶。法存寃死。數現形於府署。又每打閣鼓若訴寃者。於是潭死。其子邵之扶喪還。覆舟海道中。

寃鬼作客

泗州某生。薄游粵之潭瓊州府。寓僧舍中。先有一客在焉。詢知爲江西劉某。與新太守有舊。因其未至。暫寓以俟。偶題詩壁上。牢騷惋惻。泗州生頗有憐才之意。因與晨夕晤對。唱和甚歡。未幾新太守已下車。促劉往謁。踟躕不去。因假衣冠僕從。慫恿其行。至午後去而復返。詰其故。慘然曰『旬日來深感厚愛。屢欲誠告。恐駭聽聞。而事難克濟。當須鼎力成全。不敢不陳心腹。余之訪太守。實欲雪仇耳。太守前因詿誤虧帑。余爲之借貸彌縫。復罄產爲之捐復。既得官零陵令。余往理索。則頓遭白眼。不但不承前欠。且以惡言相逐。使我進退無路。瘠死他鄉。數年來屢欲得而甘心。奈渠出則吏胥爲之排護。入則門丞戶尉爲之呵禁。君若肯僞作抽豐客。試往一拜。余當藏身扇匣中。但得進宅門。卽無阻矣。」泗州生大爲不平。既而驚曰：「然則君其鬼矣。」劉曰：「然。」泗州生大懼。枯坐神喪。劉謂之曰：「勿怖。日來蒙惠垂青。孤魂藉以不餒。頃復求仗鼎力。豈敢祟君。」良久稍神定。許以所求。明日如其語。進謁。片刻卽出。次日忽喧傳太守暴疾終矣。

冤鬼賣花

負妻

鄂羽小將本田家子。既仕。欲結姻豪族。而厭其故妻。乘歸甯時殺之於路。幷殺其婢。既而告其父母云『爲盜所殺。』後數年。至揚州。見一婦人賣花。酷類其婢。因問曰：『人耶鬼耶。』答曰：『爲盜所擊。幸而不死。今與娘子在此賣花度日而已。』復問娘子何在。曰：『近甚可相見。』小將亦不自知。隨婢入室。相見悲哀。其從者悉勞酒食。頃之寂無人聲。從者怪其不出。直入內室。但見白骨一具。血流滿地而已。

寃鬼寄信

信州劉君祥病且死。召其弟祺曰：『吾死。子幼。幸爲提攜。地下決不忘報也。』祥死。祺逐其兄子。併其產。後五年。其友張姓者遇君祥於途。曰：『吾有書欲寄與弟。煩公帶去。』張忘其死也。以書付祺。祺驚駭得病。忽大呼曰：「君。祥來也。」頓嘔惡血而死。

寃鬼坍舟

餘干民張某商販金陵寓旅店。有婦稱鄰居與張通焉。久之。張察鄰居無是婦。疑而詢之。婦曰：「正有所托。妾非人也。有楊樞者非君里人乎。」曰：「然。」婦頓足嚙齒曰：「此天下負心人也。」妾乃娼婦穆小瓊。少與楊歡。曲意事妾。無所不至。爲誓盟迎歸。生死相保。妾以篋笥歸之。癡心守盟。久無音耗。聞已別娶矣。以是齎恨而死。此店即妾故居。欲附君歸舟。察楊新婦若何。張如語。既至。別張。適楊宅。楊以誕辰張樂。饌客。忽暴死。所娶亦病劇幾死。張大驚悔。

寃鬼將兵（一）

姚萇與兄襄同降苻堅。後萇叛堅。執堅而縊之。及萇疾。夢堅將天官使者鬼兵數百突入營中。萇懼走入宮。宮人迎萇刺鬼。誤中萇陰。鬼相謂曰『正中死處』拔矛出血石餘。寤而驚悸。遂患陰腫。醫刺之。出血如夢。萇乃狂言。或稱臣。或稱萇殺陛下者兄襄。非萇之罪。願不枉臣。遂死。晉書後秦載記

冤鬼將兵（二）

南梁蕭諒爲蕭季敞所害。季敞後白日見諒將兵入城收之。少日。季敞果爲周世雄所襲。軍敗奔山中。爲蛭所嚙。肉盡而死。慘楚備至。後爲村人所殺。論者以爲有天道焉。

冤鬼現形（一）

明萬歷中。狄某尹雲南定遠縣。縣有富翁死。其婦擁數萬金。叔垂

涎而訟之尹。私囑曰：『所追得者中分之。』狄因拘婦拷訊。至以鐵釘釘足。沸湯澆乳。於是悉出所有四萬金。尹果得二萬焉。婦抱恨以卒。後狄罷歸。一日晝寢。忽見前婦手持一小團魚。掛於床幔。不見。大驚。未幾。遍體生疽。如團魚狀。以手按之。首足俱動。痛楚徹骨。五子七孫。皆患是疽。相繼死。

冤鬼現形（二）謀殺

南史齊高帝之第二子文獻王死後。忽見形於沈文季曰：『我不應死。皇太子加膏中十一種藥。使我癰不瘥。湯中復加藥一種使痢不斷。吾已訴先帝。』因胸中出青紙文書示文季曰：『與卿少舊。因卿呈上。』俄失所在。文季祕而不傳。甚懼。少時太子薨。南史

冤鬼現形（三）誣陷

魏韋伯昕與裴植有仇。設計陷植。植坐死。後百餘日。伯昕亦病卒。臨亡見植口云「裴尚書何怒也」遂死

冤鬼現形（四）

宦裔涂生。年少有才名。窺隣女美。誘妻賂使刺繡。使頻往來。一日生匿楊後。妻徉出。覛庖。生強姦之。事覺。女父母逼令自盡。生後每入試。輒見女披血衣而來。不得第。後卒爲亂兵所殺。

（五）索命篇

冤魂索命（一）

嘉與楊鐸。登萬歷庚戌進士。授吉安司理。性陰鷙。多以密謀陷人。嘗白晝坐堂上。見羣鬼來索命。告病歸。日爲鬼所侵。已死復甦。家

人喜甚。鐸曰：「否否。陰司遣暫還。以示顯報耳。冤對滿堂。急具酒食焚楮錢。」家人如言設饌於門。鄰有屠兒倪鐸酗而過之。詬曰：「此何爲者。悉取啖焉。」羣鬼怒語楊曰：「姑緩汝以倪鐸往。」楊喜謂倪且代之。遣人往視。則倪果以腹痛暴亡矣。肉未寒也。楊以十金授其家。令速殮。隨火之。倪入冥。罪不當死。魂歸而尸已燒。遂同羣鬼作厲於楊家。爭啖其肉。拔其鬚。抉其目。遍身潰爛而死。鄰人適有新亡者。倪附其尸。蹶然起。奔至楊家。大呼曰：「閻羅天子命我擊殺其少子。以抵燒尸之罪。」乃趨入內。踣其少子。尸遂仆。地遠近來觀。無不驚怖。

冤魂索命（二）

石門縣吳越戰塲。地名天荒蕩。石田數千畝。稅合縣攤賠。自范撫軍承謨題錮之後。有力者。佃種三年後升糧。奸民佃者。耕三年輒棄去。別佃終無報升者。以此獲利。但地高無水。不宜五穀。每募太湖居民種瓜蔬之類。而西瓜獨美。遂爲土產。邑令以貢上司。有庫書孫子振者。積蠹也。亦佃數十畝。募人種瓜。有鄰家王姓小兒嘗啗其瓜。佃戶以告孫。孫命毆之。後小兒復來。佃戶毆之。幾斃。地方不服。羣鬨孫宅。碎其門戶什器。孫卽告王姓於官。杖之枷之。又勒令叩首賠償。王飲恨而死。未及一月。孫午後入城。路遇其人揖問曰：『孫相公何往。』孫悟其已死。隨卽遜謝。王曰：『我子貪汝佃戶瓜。已受重毆。衆怒相犯。何懲我太毒耶。我已訴冥司。茲來索命耳。』孫惶懼至家。卽見此人同入。晝夜喃喃。若兩人相詈。時復自掌其頰。三日。嘔血死。此康熙二十八年事。

寃魂索命（三）

張明三隨父宦瓊崖通隣李指揮二女。潛携渡海。李追急。明三計窮推二女死於水。後十年明三腰患疾迎孫醫治之小愈。是夕孫夢二女曳孫入水曰：「妾本瓊人來爲張索命汝何阻吾報乎。」孫驚覺以語明三。明三拊膺歎曰：「業至矣吾其殆乎。」逾月死。

寃魂索命（四）

康熙丙子年六月初一日夜半。崇明縣海潮大至。飄去沙鎭一十八所人畜器械蔽水而下。有人伏於大柴堆上浮海而來。未及到岸而岸上居民某利其柴漸漸以物鈎取。不意柴堆忽散其人溺死。方至薄暮取柴者忽發顛狂自言「我一家四口俱死唯我尙可獨生今汝既害我我決不汝饒矣」其人卽於是夕暴亡可見

志在利人者己亦未嘗不利志在得財者財亦終不可得善士樂得爲善惡人枉自爲惡良不誣也

冤魂索命（五） 負情

鎭海楊次恭老于文場人極誠朴言其姪孫某寓餘杭賣酒已訂某氏婚矣忽與隣女私誓爲夫婦不數載竟娶某氏鄰女飲恨而死姪孫遂病見此女朝夕索命百方爲祟延道士驅禳道士登樓鄰女坐床上大言曰「某與妾約爲夫婦今違誓他娶我已訴冥司許我索償汝何爲哉」道士惶遽而去不數日死

冤魂索命（六）

周承謨貧苦困躓親友盡疎家人二十餘口數年間喪亡殆盡口舌官司疾病災傷年年不脫周自知命蹇遇事收斂而意外之禍

不期相値。人皆呼爲「倒運鬼。」謂其一生無善狀也。乃詣上清宮。求道士禳解。道士俯伏良久。醒謂周曰：「適奉帝旨赴陰司檢汝惡籍。黑簿所載諸惡。皆可饒恕。惟十五年前孫家花園之事。上干天怒。特遣惡星時時相隨。爾將墮入畜道。尚冀福報乎。」周不覺悚懼流汗。蓋其十五年前。曾借友人孫姓花園習靜。鄰有小婦。與姑不合。乘夜奔逃。周適步月。誘而閉諸房中。姦宿數夕。後聞其姑報官搜拏。周懼禍及。醉媳而推之井。壓以大石。幸係空園古井。獲免敗露。而一生困躓惡星爲災所由來也周後日見冤魂索命。抱石投河死。

冤魂索命（七）

劉元秀家財四十萬。生子四人。嘗誇於人曰：「吾聞聚貲十萬。便稱巨富。吾現在之財。使四子各得其一。豈不同稱巨富乎。』於是諸妾所生。不問男女。並埋瘞之。凡僕婦有孕。必用藥墮之。蓋惡懷抱之勞。妨工作之勤也。其嫡妻所生一女。名雲姐年已十四歲矣。元秀並欲殺之。閉諸樓上。絕其飲食。女腹餒難忍。哀號萬狀。元秀與四子。付之不聞。女將樓板挖通。向下而哭。求食不得。嚥所穿絮衣。塞腸而死。秀忽見女偕小兒十數。或形體俱備者。或四肢未全者。或血團一塊者。皆來索命。女責秀曰：『女年已將笄。裙布釵荊。即可遣嫁。何忍下此毒手。父欲留家業與四兒。看渠能受享否。』令衆血塊滾入四子口中。惟第三子強橫。持利刃亂砍。鬼不敢近。女曰：『且暫恕之。』三子皆被血塊塞喉。滴水不下。餓至七日俱死。更慘於女。秀時見衆小兒。或抉其睛。或咬其肉。遍身紅瘇流血。

痛極絕命。其第三子。防鬼再來。時以利及自隨。一日出城。至僻巷有一酒肆。以女當壚。容色甚艷。子進肆沽飲。女來陪侍飲。至半酣。及忽墮地。女起扼其吭。曰：『我雲姐也。伺汝半年。今方得報。倘肯饒汝耶』。往來之人。皆聞田中草內有喉喘聲。撥草視之。則已死矣。元秀後嗣遂絕。

冤魂爲祟

武三思。僭封魏王。威勢擅朝。聞補闕喬知之婢碧玉。貌美。借其教姬侍梳粧。竟強納之。不復放還。碧玉擅歌舞。通文翰。知之絕愛之。一旦被奪。不勝眷恨。作綠珠詩以寄之。碧玉得詩。持泣。投井而死。三思出其屍。得其詩于裙帶間。因羅知之以法。其後。三思嘗見二人爲祟。未幾。三思遂伏誅。

冤魂附禮（一）

浙江塘棲鎮潘因仲女。嫁吳家壩沈愛民次子沈烜為妻。蚤夭。潘氏寡居。其大伯沈烜日遂凌窘之。氏歸訴其父因仲。乃因仲原負沈氏千金。正無抵償。意欲借女一死。可以賴債。故激女投繯。順治丙申十月。女自經死。因仲復詐得銀千金。女冤不洩。遂抱恨於父若兄。丁酉年二月初十日。因仲長孫年十二歲。頗聰俊無病。潘氏附之。口作氏語云『汝家賴債詐銀。不與我。伸冤我今不獨死。欲得長孫甘心焉』。長孫白晝時時自縊。家人惶急。防閑不敢懈。至十二日早。長孫索繩帶不得。遂痰喘結喉。立死。通鎮目擊無不股栗焉。

冤魂附禮（二）

太倉上舍某。廣置姬侍。一姬尤美。上舍嬖之。後姬與優者通。挈貲亡去。匿一孝廉家。孝廉藏姬密室。上舍訪知。控州追捕甚急。孝廉賂差役。約出境。乃獲至嘉興。果獲姬與優者。方入舟。兩人暴卒。衆愕然。孝廉發狂曰：「爾淫我又匿我財。再以計殺我。請去對簿。」即暈仆。稍甦。語如前。七日孝廉死。

冤魂附體（三）

崑山冉直鎭邱孟華。其甥鄒壽家庭不睦。孟華曰：「不如以官法從事。或可辱之。」遂囑其子聖時以名帖送當事。受杖公庭。壽與聖時爲表兄弟。見其用官勢以辱之。大恨。遂發狂疾。後復縊死。越三年。聖時得疾。百藥不效。忽鄒壽附於身。備述前事。且言欲以刀刺聖時。親戚視其脅下。果若有傷。因慰之曰：「汝今已死。不可復

生盍若以懺力度汝』鬼曰『事已發東嶽余亦無可柰何即日審矣必同汝去也』不逾日而卒

（六）投生篇

投生尋仇（一）

江西過東明家富庶弟貧無賴東明斥逐之弟欲甘心焉東明懼以他事斃之獄未幾見弟踉蹌入廄趨視之馬已生駒東明知弟魄所托頗爲戒心駒則絕馴擾可愛東明復憐之然終未敢近轡之近村復潛返見東明作依戀狀東明忘夙戒前撫摩之益弭耳以聽至於逼近連蹄之中腹遂仆地死

投生尋仇（二）

楊子江舟人龔僎乘大風擠一巨商于水。盡取其所有。卜居維楊爲富室。後生一子。撫育既長。視父如仇。僎忿恨叩乩仙判云『庚子八月强風惡。楊子江心波浪作。二十年前一念差。請君試把心頭摸。』僎見詩大驚。遂棄家而遁。流落而死。

投生報仇 (三)

明章大脩爲廣南太守。有庫吏陸姓者。家饒於資。女極美。章欲謀其財。並取其女。屢諷之。陸不應。章懷恨在心。一日獲大盜。使人囑之。令扳陸。許以減罪。盜遂供陸爲同夥。拘到案。嚴刑拷問。陸不承認。用滾油炙其指。乃誣服。章卒役搜贓。將家財盡沒入已。其女官賣。賠令人買回。乘夜送入衙中。姦佔。女不敢拒。後生一子。章憐愛殊甚。及長。乘肥衣輕。飲酒賭博。無所不爲。章數十年宦場中。欺心之物任其浪費稍有違拂卽持刀欲弑章避至杭州遊靜慈寺謁天方和尚叩問生子不肖之故時爐中煎茶正沸天方曰「居士欲知此種因緣可將手入湯中」章曰「沸湯如何可入」天方大喝云「沸湯汝尚難受滾油中人怎生禁的」乃作偈曰「十八年前官運好買盜誣良計太巧那知天譴破家星父子仇惡添煩惱竹爐湯沸尚難禁滾油鐺內殘魂繞冤冤相報在今時肺肝洞見方纔了」章後胸前毒瘡潰爛五臟皆見而死其子竟不收屍隨卒陸氏蓆捲家貲轉嫁享有其業

投生報仇(四)

楊家裕止一子禮度如長者然有時持刀欲弑其父官拘問之答曰「民知法安忍爲此但持刀時則不自知也」官疑有冤問其

父曰。「汝何業。」曰：「少業邸店。」官令徧掘其家。得四屍。蓋業邸時。殺人取財而瘞之也。即服罪擬死。其子將貲財厚葬其四屍。

投生尋仇（五）

楊州邵伯某甲。故舟子。有僧攜貲就渡。涎焉。溺僧中流。而有其金。改服賈。遂致富。他日閒坐。忽見僧來。方疑訝。家人報妻臨蓐。俄産一兒。知爲孽。心常怏怏。晚年買妾。有淫行。與鄰私。子知之。烝焉。懼事洩。共謀醉父。以斧劈殺之。瘞屍畦間。甲妻發其事。妾與子皆論死。甲生遭戮害。歿後檢勘遺骸。極播析之慘。所攘僧金。即以訟耗罄去。

投生尋仇（六）

雲南嵩明州某甲者。時於鄉閭行小惠。鄉里多悅之。惟遇公門中人。則視若仇讎。每竭力把持阻撓。雖頗於地方有益。而結怨已深。故平生蹤跡不輕入城。偶值嫁女之年。入城購雜物。猝遇胥役押之入衙。白於官。搜求舊案。當將某甲杖責。並枷號發往該鄉示衆。兼有兩役押解而行。適遇一深水渡。某甲無地自容。遂赴水死。時州牧趙某安坐堂皇。聞之亦不介意。半年後。牧晝而假寐。恍惚見某甲昂然直入。俄頃之際。內室已報育麟。趙本無子。合署稱慶。獨趙深抱隱憂。於是自撰疏文。爲設醮壇以禳之。幾及年餘。忽夢寐又見某甲來曰：「余在鄉里。素有善稱。並無欺壓平民之事。不過替人調解。何至必不相容。即欲懲我。亦何必辱我於鄉里。非逼我命而何。今爲汝子。見汝時時有自悔意。冤不可結。我今去矣。」言訖不見。夢驟醒。則內傳公子暴疾逝矣。中外皆來勸慰。而趙暗忖。

如釋重負。後亦寂然。

投生尋仇（七）

汴郵一卒。以單驍巡警。至棘林中。有早行有輕貲者。見卒來。疑其有他志。匿棘叢中。卒暗中疑爲野獸。見林中動影。因以鎗刺之。不料其人被刺而死。既無奈何。遂取其囊金而去。後娶妻育一女。早晨在門首。見前所刺者來。亟闖門窺之。竟入對門皮匠家。問之。則匠淸晨生子矣。卒知其故。厚遇之。以女許其子。匠喜過望。令其子視卒如父。一日卒醉臥。盛暑汗出。匠子侍側。微以刀刮去其汗。卒醉中不辨何物。以手擊之。刀遂入腹。卒遂亟呼家人。言其故而死。

投生尋仇（八）

明凌漢章行市中。見一丐者。貌頗偉。頰上一掌痕。乃天生也。有十餘丐者隨其後。既去。問之市人曰：「此丐姓聶。父嘗爲司務官。因蚤朝從行吏失攜笏。怒甚。掌打其面。遂仆地死。後家居妻有娠。忽見前吏來徑造其寢。已而生子。掌痕宛然在面。司務心知之。比長。日以殺父爲事。父嚴防之。挈妻逃避他鄉。不知所往。其子遂縱酒色。家業蕩盡。卒爲丐云。」漢章作詩記之曰：「平生不信有陰魂。丐面而今見掌痕。寄與世間君子道。莫敎結怨種寃根。」

償債索債

江右祝三思出外貿易。偶遊一古寺。有兩僧出見。留茶。一僧曰：「小僧欠居士三十萬貫。今當償矣。」一僧曰：「居士欠小僧三十萬貫。亦當償矣。」祝疑是禪家作機鋒語。不甚留意。相別歸家。妻妾各懷孕。臨產之夕。三思夢兩僧負衣鉢入門。次日妻先生子。取名僧保越數日。妻亦得子。取名僧佑。二子長成。各具性情。僧保辛苦立業。每日持籌攢眉盤算。雖得分文。亦交與其父。僧佑好嫖好賭。任意揮霍。將僧保所掙之貲。日漸消耗。僧保欲爭較。因礙嫡母。不敢言。致成氣蠱。懨懨一息。祝撫抱而哭。僧保忽變聲曰：『我非汝子。奚哭爲。汝前生名林達生。頗有家業。我名游守靜。欠汝錢三十萬貫。未償而死。幸無欺騙之心。故不墮畜道。今爲汝子。苦掙二十年。本利已淸。當去矣。』遂卒。次子亦相繼得病。臨終亦變聲曰：『我前世爲黃治中。與汝合開典舖。汝多支錢三十萬貫。未楚。今取討已完。當去矣。』祝哭曰：『汝兄弟俱捨我而去。煢煢一老。何以爲生。』僧佑曰：『我二人。一來還債。一來索債。均非爾子。爾欲得長命承家之兒。須多立善功。』言訖瞑目。祝果依其言。眞心行善。後仍得兩子送老。

投生索債（一）

永嘉徐輝嘗借丹陽一大商千餘貫。未及償而商死。商家不知。亦不復索。後輝生一子。甚聰俊。輝切愛之。八歲大病。召醫市藥。貨財耗盡而病不減。一日復語所親老尼曰：「我欲歸去」。尼曰：「此汝家也。汝復何歸」。曰：「我丹陽人也。徐公貸我錢千餘貫。幸我死。不償。今來取之耳」。言訖遂絕。夫輝無願商身死之心。不過因其死而私幸耳。且還報不爽如此。彼願其死者。又當何如乎。

投生索債（二）

桐城諸生。姚東朗有子十歲。病且死。父母憐之。謂曰：「汝果無緣爲吾子耶」。其子忽作北人語曰：「我乃山東僧某也。積三十金爲師兄所窺推吾墮水中我呼觀音大士卽見大士云「汝數合休且往孽也」遂溺死地方鳴於官汝於是時爲彼縣令師兄以吾三十金奉汝事遂寢我以沉冤未洗來爲汝弟卽汝亡弟姚嵩紹也追隨二十餘年不能追償因死而爲汝子十年來三十金償矣我當去第汝家有一杜杖我甚愛之可燒贈我以足前金之數我師兄亦因索此金而來爲汝長女今嫁溧陽潘氏有娠將產我死卽投彼胎索命矣」言訖而絕

投生索債（三）

梁杜石者睢陵之富室也有一子甚愛之順治末年子十九歲病篤梁悲痛不勝子忽直呼父名而告曰「吾前生徐州某也有三百金與汝前生同賈吾病痢於中途如厠汝乘隙以利刃刺吾胸

死而又自割手出血證吾家以盜死吾沒後遂生睢陵王氏二十年前王某即吾也汝後吾三年死亦生睢陵即今汝也昔年吾覓汝不得偶入縣納條銀忽遇汝於櫃間吾怒甚奮拳擊汝吾亦不自知其所以也汝因吾素無一面反不介意吾歸數日憤悶而死故遂生爲汝兒今十九年矣計吾痘時汝費若干延師費若干聘媳費若干考試拜門生費若干其餘零星小費共若干銀已還淸但命未償耳然汝遇我甚厚吾不忍言當別去第恐陰府不能宥耳」遂死杜石旦夕哭之語人曰「吾子孝而慧恐吾悲故設爲此言耳天下豈有父子大倫而如是乎」未幾手礪一鎗或問之答曰「今年歲歉吾處窮鄉藉以自衛耳」一日以柄著牆以鋒著胸忽大呼曰「兒待吾自撞可也」遂奮身向刃一撞而鎗已

入胸七八寸釘於脊骨之內矣。

（七）冥罰篇

慘受冥刑（一）

蔡居厚知鄆州有梁山劫賊五百來降。悉戮之。明年以兵部侍郎奉祠金陵。疽發於背。命道士設醮禳謝。因令所親王拱代作心詞。焚之。明日居厚卒。又明日拱亦卒。既而拱復生曰：「適到冥司主者責某代人詭作心詞欺誑上帝。某辭以皆居厚意。某但行詞而已。俄見數鬼引居厚出。枷繫聯貫。狀極枯瘠。又見二鬼持一桶血自頭澆灌。澆卽大叫。左牽右掣。如欲絕狀。少頃便蘇。既蘇復澆。既澆復絕。遙告某曰：『子歸語吾夫人。我在此。只理會鄆州一事。』」

羣談採餘云洪武初吳山三茅觀雷擊白蜈蚣身長尺許背有白起二字由此言之長平之慘冤負何日了哉

慘受冥刑（二）

秦檜妻王氏與金兀朮私通。日夜嗾檜殺岳侯。獄成而未決。檜於東窗下以手畫柑皮。如有所思。王氏曰：「擒虎易。放虎難。」檜即書片紙付獄。俄報岳侯卒。次日岳雲張憲皆棄市。金人酌酒相賀。檜自此形神憒憒。一日挈家遊西湖。忽見巨人厲聲曰：「汝賊害忠良。罪應萬叚。」歸家即疽發背。猶起大獄。謀盡陷張忠獻胡文定諸族。棘寺奏牘上矣。檜力疾坐格天閣。視事吏以牘進。欲落筆。手顫竟不能字。數日疽潰死。其嗣子熺亦死。有押荷何立者。往東南勾幹。恍惚至陰司。見熺荷鐵枷。因問太師何在。熺泣曰：「在酆都。」立如言往。果見檜與万俟卨（音末其錫）俱荷鐵枷。備受楚毒語立曰：「可傳語夫人。東窗事發矣。」未幾王氏亦為鬼擒去。檜嗣竟絕。

震死棺前 (一)

玉山縣橫封窰王氏有子為邑庠生。母死乘凶納婦。約以七盡方成夫婦。生宿柩旁。婦別宿他所。婦聞扣門聲。婢以告。婦以郎至。欲納之。婢解其意。即放入。登榻同寢。五鼓遁去。曰：「恐外人知。罪我不孝也。」閱三四日。乃問嫁貲幾何。婦曰：「金簪珥半斤。製衣銀八十兩。咸在小箱內。」五鼓遂攜箱而去。不復來。迨七盡。生置酒與婦成禮。問及嫁貲。婦以其事告之。生皆言不知。婦方知為賊所騙。頓足泣哭。誓不復生。即歸寧。泣告父母曰：「吾身為賊所破。夫縱不言。何以自容。不如死。」父母泣慰之不聽。是夕遂縊死。會葬生亦來引棺至暮方掩土忽雷電奔馳攝一人跪棺前乃生之堂兄也手捧金珥及銀跪而死屍卽破爛一邑皆爲驚動此明正德九年事也。

震死棺前（二）

建昌府羅德家貧未娶其母熊氏遂改嫁江潮得銀娶章氏爲媳德以母故不忍與婦共枕席章詢知脫簪珥衣服令德持以取母德喜奔告母因天晚留宿不意潮前妻子江實已竊聽之夜托德名叩門入內簡取諸物且求雲雨章不識其詐也遂擕所有而去及天明德回章方知受騙愧恨縊死德具棺殮舁至郊外忽雷電交馳見震死一人手捧簪珥衣服跪棺前背書奸賊江實四字棺木碎裂章氏立道旁見德問其事相與大慟扶歸後江潮亦感泣

攜熊氏與之同居。

雷殛逆子

湖州南潯鎮。有寡婦之子好賭。一日負錢莫償。欲母典衣與之。母云吾欲往汝姊家。且穿到。與汝可也。子遂爲母駕舟而往。母素惜衣。欲待登岸而後服。子疑母之弗與也。怒與母角。沈之於河。返未一里。殷殷然聞雷聲。急抵家。謂妻曰「速以大缸蓋吾」。妻問故。不答。乃強從之。而雷聲甚細。終未震也。有頃。妻見缸邊血水流出。怪甚。啓視之。夫已無首。但鮮血淋漓。驚喚鄰里。至人皆謂其謀害故爲誑語。乃駕舟候其姑至。欲鳴之官。舟至半途。有物礙楫。乃一女屍浮起。手執人頭髮。挽指上。細視之。屍即其母。而頭即其子。始悟其母爲子所害。而釋其婦。【按】害母者。固豺虎之不若。究其禍

根乃因負錢而始然則賭博之爲禍亦烈矣安得長民者痛除其弊乎

迅雷擊死

明正德間俞翱嘗以鑽鉛假銀一兩八錢買四羊賣羊者乃一婦人不識也夫歸識之怒罵其妻妻忿縊死夫痛其妻亦縊焉不數日翱被迅雷擊死湖濱四羊亦死蓋其屍上

忽遭雷擊

太倉諸生王靜侯爲人謙謹忽遭雷擊衆共驚訝一日請仙判事叩之判云『彼於某年月日應蘇州府試寓飲馬橋民家主人已在獄中妻見王謹厚以財託之囑其出夫於獄王見妻子可脅也逼焉且私有其金致寘之死故有此報』【按】此種隱密之罪王

法所不能及若無天譴報應小人樂得爲小人矣故開陳因果之說隱然助揚王化輔翼於名教者不淺也

雷震身焦

明天啓辛酉齊門外石獅橋楊某其兄與嫂皆患疫病有女方五歲叔濟引出賣之得錢四千兄嫂病中數問其女安在彼以他辭支飾後鄰人過問向兄嫂言其事夫妻伏枕垂淚次日雷震提叔跪於牀前徧身焦黑而不死頸上掛錢四千衆卽以此錢贖女兄嫂之病亦愈大抵居心陰毒神怒更深故報之速也

暴雷擊死

李叔卿素廉謹同僚孫若疾之妄言於衆曰：『叔卿空自得名以吾視之狗彘也』或問其說曰：『叔卿妻妹豈得爲人』自是喧

傳遠近叔卿欲明不便出口即不欲明憤恚難忍遂鬱悒死其妹聞知大爲驚恨亦縊死不數日雷雨暴作將宕繫死暴屍叔卿之門及葬雷復發其塚

疾雷震死

常熟錢外郎慕鄰婦趙以其夫貧貸貲令販布夫幸甚商於臨清錢與趙私夫憚不敢發錢謀於趙俟其在路夜殺之以被盜聞夫族鳴於縣數月不承時大旱縣嚴訊定罪遂得雨闔縣歡呼錢訴於部與趙皆免方出部門遇疾雷兩人震死

神雪奇冤

福建莆田縣有王監生一案王素豪橫見田鄰張嫗田五畝欲取成方造僞契賄縣令某斷爲已有張嫗無奈何以田與之而中心

甚憤。日罵其門。王不能堪。買囑隣人毆殺張嫗。召其子視之。即執以鳴官。誣爲子殺其母。衆證確鑿。子不勝毒刑。遂誣伏。將請命凌遲矣。總督蘇昌聞而疑之。以爲子縱不孝。毆母當在其家。不當在山野間。且遍體鱗傷。子毆母必不至此。乃檄福州泉州二知府會鞫於省中城隍廟。兩知府各有成見。仍照前擬定罪。其子受綁。將出廟門。大呼曰：「城隍爺爺。我家奇寃極枉。而神全無靈響。何以享人間血食哉。」語畢。西廂突然傾倒。當事者猶以廟柱素朽。不甚介意。及牽出最下一層廟門。則兩泥塑皂隸。忽移而前。以兩梃夾叉之。人不能過。於是觀者大噪。兩知府亦悚然。重加研訊。始白其子寃。而王監生伏法。城隍之香火。從此益盛。而頭門兩皂隸前。進香者亦不絕。

（八）夙孽篇

夙孽（一）

明陸圻凌氏女夙孽記載。杭州凌聚吉名萃徵予弟鯤庭同窗友也。住新宮橋南首於崇禎丁丑生一女。初無疾病。至癸巳年。女長十七歲矣。七八月間。忽遘奇疾。狀若中風。目瞪頭旋。食頃始甦。言見一黑物。便頭暈欲倒。平復兩三月。忽又一發。漸漸頻數。遍訪名醫。有言風者。有言伏痰者。有言驚癇者。有言神氣虛者。有言肝虛者。有言己身藏神者。服諸藥無算。而終無一効。至今乙未四月間年一十九歲。每發愈重。聚吉俟其發時。諦加審視。微覺口中誶誶作聲。聚吉始駭然。故與之語。輒忽應答。言談往復。殊有倫次。始聞有夙世冤業之說。聚吉方知爲鬼物所憑。乃專求治鬼。凡僧道巫覡。遣禳醮薦之法。無不畢修。辟邪鎮鬼之藥。無不畢投。而鬼忽作語云。「我係前世冤家。冥司稟白而來。任汝等作法。終不去也」。至問其冤業所起。及何處鄉貫姓名。輒答云。「此時未言。久當自知」。迨至五月廿五日。淩女見前黑面之鬼。復押一白面者同來。且言明日當攝汝魂。六月十三日。陰司牌懸赴審。聚吉初不之信。至明日午後。女方坐稠人中。忽大呼二鬼又至。已將我魂縛去矣。遂復暈倒。自此不須頭暈。輒見二鬼。押持操縱。不可復脫。不復能飲食眠睡。每合眼。則二鬼與之爭辯。聚吉輩與言。鬼便借女口應答。而女如在旁竊聽者。於是方知其索冤始末。黑面者言。我本揚州人。名倪瑞龍。白面者名袁長儒。與我同里。俱係富室。兩相詰訟。

言淩女係揚州察院。姓劉。彼收我銀若干。復斃我命於獄。我被毒
藥所害。故面黑如此。一魂含冤。至今六十載。今來索命。無復他求。
問其致訟之繇。則云『瑞龍有地五十餘畝。售與長儒未經了絕。
而長儒得地。卽慮反復。便投一大家。云已轉賣。瑞龍計窮。無可加
貼。繇此仇恨。互相訐告。今長儒已絕無嗣。而倪有子尚存。名宗某。
其言鑿鑿可據也。言已。復押淩女遊地府。凡人世所云刀山。寒冰。
劍樹。鐵床。磋磨。臼碓。水浸。石壓等獄。又如鬼門關。望鄉臺。孟婆莊。
破錢山等處。無不遍歷。且言奈何橋。僅闊八寸。凡入磨坊者。碎磨
骨肉。片片作聲。悉呼痛楚。卽分形變畜。如蟲蟻之類。苦不可言。大
槪始則大地如潑墨之黑。久之。中又歷歷可見。又或遊善人長者
之處。則略有微明。燈燭煇煌。冠裳楚楚。又至一所。則竟如日月開

朗池中或開紅白蓮花。香氣襲人。堂戶皆金碧。云是最善者之處也。又殿側大廳院一所。即閻君賓館。中有鄉紳二百餘人。冠帶峨峨。女至其中。或有相拱揖者。言面甚善。云是昔同年同寅輩。一時忘其姓字。又有當生人道未得空缺者。此類最多。總聚處亦無善惡。諸相又三黨親戚中或有見者。或不見者。或有與言者。或不與言者。又見前世母氏。高年白髮。倪瑞龍詆之云。「此一個老婆子。」凌女又怒云。「汝部民應稱太夫人。鬼子敢爾耶。」聚吉闢之。猶疑怪誕。難可准信。然又念報寃之說。世亦嘗有。計惟訴之本府城隍正神。求其別白是非。於是以六月初一日赴往投詞。大意謂果係眞寃。殺人者死。負人者償。夫復何辭。假令妖狐野魅。故托妄言。擾害無辜。則祈神聽聰明。立賜處決。兼令凌女拜禱觀音大士。

日誦三千聲。求其解冤釋結。直至初八日下午。女果見二公差至。云「城隍出牌。」初九日下午又來言「明日五鼓候審。」而袁長儒者。如有恐慄之狀。淩女方悟此獄或係此鬼所成也。至初十日五鼓差人果押二鬼至。同淩女魂赴城隍審理。候開門升堂。三人進跪堂下。瑞龍先言伊在揚州作宦。既受我賍。復害我命。淩女因言。據說我受汝賍。如今不知有無。但我既爲官。豈能躬自詣獄來害汝命。是誰持藥。藥是何物。須還明白。我方承認。瑞龍語稍塞。城隍因言「汝辯有理。人命何與汝事。但不應貪汚受賕。汝既爲官。受朝廷俸祿。如何私取民財。難免罪過。」因指瑞龍言「汝作鬼六十年。眞害汝命者不知。却去告伊。念汝喪命。姑責五板。」因指袁長儒令說。長儒已自股栗。猶言此事小人不知道。城隍怒令夾起。來見吏卒上夾。鬼便自招云。「尚有下毒家人」。因放夾。責三十板。審訖。城隍分付。我衙門不定罪。十三日仍聽殿裏審去。如是遂出。自始至甦。約半時頃。此則六月初十日五鼓審勘事也。城隍紗貂。錦袍燈燭香案。殿上諸吏俱帶外郎帽辦事。階下俱是隸卒拱立。堂陛寬廠。殊非人間廟宇也。至淩女每對簿。則仍方巾葛衣朱履。有所稟訴。即與倪袁二犯同跽。稟畢。即站立左旁。其體與齊民迥別。又審後。瑞龍來淩家。雖若憤懣。然束縛稍寬。强梁稍沮。即其同長儒索酒食紙錢。辭亦稍哀矣。至十二日晚。二鬼又至。言明日巳時。三殿閻王掛審。汝須准備諸事。遂守定不去。至次早聚吉用好語勸解。且許其審畢。送女復還。仍予銀錢。兼設酒食。鬼伴許諾。迨至辰刻。俄見冥司二差。至淩女向臥床第。至此忽自起立。

索換衣衫。與家人作別。不勝其慘。言已就瞑。璪吉按視脈息。但遲極。不竟斷絕。手足俱冷。而心頭微暖。候視約半時頃。但見微作淚容。又少頃。微聞言此路晒甚熱。蓋其甦時正赤日將中也。俄又言汝等定要喫飯去。言畢。欠伸而甦。因言方去見者。是三殿閻王。側立司善惡二判官。階下俱小鬼獄卒。猙獰可怖。牛頭馬面守門。始聞唱名。黑面者名倪瑞龍。次唱女名劉某（按璪吉自註其名不便顯列又云號玉臺）又次唱袁長儒。則白面者是也。閻王廷訊。二判持簿查閱。瑞龍與女爭辯。亦如對城隍時語。一判大聲指淩女言曰：『人命不干汝事。但汝得銀。一千二百兩。亦不爲少。汝罪過尚有。不放汝回』。淩女惶恐乞生。言我雖有罪。但今世父母生我一十九年。未曾孝養。暫且放回。蓋向之作淚者此也。』閻王因言。汝既如此說。我放汝回去。但此去做好人。壽命可延。如或不改。仍來受罪。遂發放回去。倪瑞龍令其投托人身。以在生作惡。仍責十板。戒訓。袁長儒不責。令收監受牢獄罪十年。仍令二鬼送還。凌女遂從床起。急令燒送紙錢羹飯。以贈其去。又從前餤口數壇。超度二鬼。無甚應響。惟集慶隱崖禪師。年已七十有九。戒律精嚴。至是將施食時。凌女未嫁之夫。江聿修者。雅不信鬼。頗懷腹誹。女即於房中云『汝家何故令外姓人罵我。』問之。果然。聿修即前跽伏罪。又云『今日施食極誠。法師極有道力。故寒林親身自來。但我輩既爾長往。劉公必須一送。』一女因靚粧冒雨出中堂坐。視餤口。若無病者。而江君親見寒林黑面吐火。形見驚怖。虔拜。自是之後。二鬼絕跡。凌女沉痾如失云。

凌女嫁後孕凡二次以丁酉十二月夭亡

按聚吉自序云。凡紀籍所載前生宿世因緣果報之說。聞之熟矣。以是爲釋氏之苦心。警世之權語。儒者所不道也。豈知今日近出己身。耳聞目見。曾非影響。事理姓名。俱有對證。雖欲不信。不可得也。故不敢隱。謹述其事。如左。又云。予女自乙未五月廿五日至六月十三日。計十八日。粒米不進。目睫不交。當其去也則僵臥竟如死人。及其甦醒。安居仍如平日。自始至終。曾無一語糢糊。其間幽冥警策之語甚多。筆不盡載。要不敢增飾一字。以墮妄語之戒也。因思世人或有恃其勢位。負其才力者。少得尺寸。廣作不良。傷心刺骨。無所不至。豈知現世所不報者。即再世之後。重泉之下。尙有含寃隱毒。願得而甘心焉者。昭其姓名。揭其行事。不能掩覆。伊可畏也。因將前後始末。備載於紀。或亦冥冥之中。喚羣蒙而肅官箴之意云。

夙孽（二）

揚州趙氏女。素以孝稱。父患哮喘。女年甫十四。朝夕侍奉。衣不解帶。因是得寒疾。恆秘不令父母知。道光辛卯歲年十八。病益篤。四月十一日。方午倚枕危坐。忽曰：「汝尚在此」。家人愕然。詢之則已昏矣。喉間呼吸作痰聲。逾時而甦。自言前世由科甲爲貴州某縣令。邑有節婦宋王氏。里豪思漁其色。唆令以金誣衊之。節婦遂以身殉。談次。女忽厲聲曰：「來矣」。即瞑目作愁苦狀。醒而復述者數次。十三晚。女忽狂叫。騰擲。壯婦數人不能制。是夜列炬如豆女作呵毆聲。呼痛聲。乞憐聲。少時又作揶揄狀。痛楚狀。情景不一。而於公庭決獄胥役擾攘之事。無不逼肖。次晨兩頰赤腫。臀肉盡腐。女昆季有不信因果者。詰其何以再世而後報。曰：「先世根基甚厚。今始爲女也。」家人爲乞節婦貸其命。當永奉香火。女復作聲曰：「予已歷訴冥司奉牒至此。今不能宥也。」言既。舌引如蛇。家人力護得無恙。自後齋醮。女悉知之。就牀作頂禮狀。既而曰：「此等大冤。終難懺悔。」俟六月四日。此案可結矣。」歷五月。其父母仍以藥食調治。遇珍貴物。輒委於地。曰：「汝罪人安得食此」偶談禍福事。皆驗。並囑其昆季曰：「我今世本無惡。以前生一誤。歷劫至此。惟兄等善事父母。勉爲端人可也。」至期。奄奄而歿。

夙孽（三）

崑山顧錫疇崇禎朝官大宗伯。甲申國變後。闔門悲慘。誓以死殉。父荀洲自餓死。錫疇後在溫州。丙戌六月十六日。爲同事賀君堯所害。沉之江。華亭令張調鼎公門生也。好請乩仙。忽錫疇來降。張怪問曰：「老師何時登道山。」乩曰：「吾於前六月十六日被副將賀君堯害我於江中矣。」張問賀與師何仇。乩曰：「老夫前世乃天台一老僧也。因托鉢回路逢巨蛇。以杖擊殺之。賀即蛇後身也。寃對相尋。因果應受。可語我兩兒切勿報仇。」張公立遣人至溫洲蹤跡之。一一不爽。後君堯入海。亦爲人所殺。

夙孽（四）

康熙二年。虞山糧道署有張瑞昌者。附收屬邑解銀二百四十兩。未及歸庫。暫存笥中。隨奉遣往郡。越三日歸。啓橐視之。衣履如故。而銀已蕩然矣。驚詢旁人。咸未曾啓戶而入者。張僕吳勤獨臥於戶側者。曹僕陳美即聞之於道。主命發捕究之。是日拷掠竟夕不得。次日又窮治之。而終不得。張掾訴之於城隍。又訴于南庄神。十七日神下乩入署。週迴環繞而出。少頃。同掾有曹璘者。正冠伏几。厲聲疾呼曰：「喚張瑞昌」。衆往視之。乃神語也。昌至。神曰「爾失銀乃曹璘之僕陸賢盜去。而曹璘不知也。賢于初十丑時盜銀持歸。欲以授伊父。將銀百兩陳之大門扉櫈。適璘父出。賢慌却步而走。時有菜傭吳茂歇涼戶外。乘間而入。挈以持歸。詎意非其所有。持銀至家。母即身故。孩兒痘殤。吳茂亦患疫相繼而死。總以不義之故。貽害一門也。其五十兩一封。又家人竊見分散。已不可追。又九十兩現藏樓下床底。可令曹璘押陸賢速取。衆欲將陸賢究詢。又厲聲曰：「勿加刑。小孩子飯且不知飽。作此歹事自有報應。多拜上盧老爺打轎去」。言畢。曹乃甦。少頃。復作差語云「我姓陸。乃城隍廟西班。頭南庄移會我主。特奉差來此。銀已換雙皮紙包。盍往取之。我兄弟惟好杯中物耳。』曹遂甦。茫然不知所以。衆以告。曹乃挑燈作揭。亦欲訴之於廟仍疑衆之誣詆也。次早起欲謁廟。即押賢取銀。忽又伏枕曰：「吾乃城隍也。爲昨日事。往拜南庄道經此。見曹璘睡。借他說一明白。這銀子是陸賢偷去。曹璘並不知。即吳勤陳美却是因果。前三世陸賢是毛家丫鬟。而陳美乃小廝也。毛家將銀十一兩三錢。置之桌上。小廝盜去。害丫鬟逼打。了鬟身死。美因孽重。一世變豬二世變狗。吳勤不應將大棍擊之。又將滾水泡之。所以有此一樁孽報。即張瑞昌亦因前世欠銀一百二十兩。今不該失去一百五十兩。多了三十兩。俱令其擔承。若再賠補。則寃寃相報。將何底止。故令陳美吳勤與之說明。消其懷怨可也。』又喚孫瑞陳天霖你衆人前有稟單。昨晚差皂隸沈卿來此查察。見曹璘又寫一單。說你兩人冤他。曹璘速取單來。果於箱內取出。兩掾訴稱。口述南庄之言。並無冤他言語。隨命判官取筆。銷此一樁公案。又云。曹璘你妻奉齋。并女兒。與他何干。都寫單上。存銀九十兩。陸賢藏之床下。上將瓦蓋。昨晚使女取炭。又取去三兩。止存八十七兩。可速取之。遲則又散。總是因果報應。幽冥之中。纖毫不爽。陸賢自有報應。又囑衆掾。在公門中正好修行方便。做好人。凡人行不好的事。害人不必實有是事。只一起了念頭。便是作惡了。凡人有子無子。皆是前因。神明將手自指心窩畫云。『若要求兒子也不難。只在這點不壞。便有了。』言畢而去。衆許酧拜。云。『我是一縣之主。豈是爲飲食小節。因見你等心念志誠來此說一明白。我回縣矣。』曹乃醒。衆皆驚愕。璘即歸。從床下索之。果於瓦下得二封。先開視。俱是白石灰。曹猶憤然。未至縣二十里。啓封則銀也。乃共怪異。至縣較兌。果八十七兩。可見冥冥之中報應如此之速。特刊布以警後人。

夙孽（五）

唐李林甫陰險不測。數興大獄。素所忌者必殺之。後見一毛人鋸牙電目。命射之。跳入堂。靑衣遇而暴卒。過廐。馬亦死。甫即見鬼擒拏七竅流血而死。死後其壻告甫陰謀呪詛。剖棺戮尸。籍其家。元和六年。惠州震死一娼。脅下朱書云『林甫後身』。淳熙初漢州震死一女。亦朱書云『唐朝李林甫陰賊良善。三世爲娼。七世作牛。作牛訖。永墮水族。』初林甫微時。遇一道士。戒之曰：『君前生多善。今當爲宰相。貴後切勿陰賊。庶保令終。』林甫不聽專行賊害。久之復夢道士曰。『君忘吾言。今獲罪矣。』引入一處。但聞風水聲。道士曰：『此乃鱗介所居。慘苦莫當。汝應居此。永無出期矣。』卒如其言。

夙孽（六）

台州觀音寺有僧人含輝年四十餘。頗守戒律。一日街上閒行。見有賣狗肉者。忽動饞念。歸寺卽遍身發熱。起毒疽十八個。形如人首。疼不可忍。遍與人看則疼稍止。若蔽而不使人見。則痛入骨髓。醫者盡其術。總莫能治。僧自知係宿孽。乃負痛跪佛前虔誦金剛般若經。以求懺悔。一夜忽見有十八軍士。皆無頭。於頸腔內作聲曰：『爾識我乎。』僧曰：『不識也。』曰：『汝爲金朝叅領官差我輩二十人守山頭隘口。有二人下山遇少婦獨行。拉而姦之。其夫家控汝案下。汝不加細察。將二十人一概處斬。彼二人者情眞罪當。死固甘心。我輩無辜被戮。是何等冤枉。覓汝三百年。方得相遇。汝又爲僧守戒。不敢侵犯。前見狗肉動念。已破如來大戒。我等無所畏矣。但爾既誦經解釋。暫饒爾命。後三年當再來索命也」遂作陰風而散。

夙孽（七）

趙豐言燒磚瓦爲業。縣中修內衙。給價短少。趙出言稍戇。適撫軍入境。詢及司書。邵豐年作弊。尹方懷恨。豐言悞聽。悞答曰：「此乃大惡人也。撫軍諭解赴本衙門發落。尹遂出。差將豐言蜂擁拏解。及撫軍庭訊。驗其解批。乃趙豐言。非邵豐年也。即爲省釋。而驚恐已受萬千矣。回家無費。只得步行。路逢數大漢。同至一莊院丐茶。豈知大漢乃係夥盜。藉此探路。是夜其家被刼。有人在暗中看見。乃日間借茶之人。報官捕緝。衆皆逃匿。趙獨踽踽緩行。被捕拏獲。夾打備施。坐監二年。乃獲原盜。供明偶然相遇。並非同夥。釋放回家。貧無立錐。時方深秋。趙饑寒交迫。不得已至鄉間親戚處告貸。中途値雨。忽荳稞中鑽出兩人。光頂白衫。向趙拱手曰：「君識吾否。乃君之好友也。」趙含糊應之。携手同行。兩人曰：「君知此生多逢憂患之故乎。若前世爲商。與同伴不睦。慫傳其落河身死。致其妻一痛而卒。陰魂抱恨。時刻相隨。君是以動遭坎坷。」趙求解釋之方。兩人曰：「易耳。但隨我行。立即往生極樂矣。」行過河邊。兩人拉投水中。趙手攀枯樹不放。兩人用泥塞其鼻耳。趙遂昏暈。

然心中尙明。不肯釋枯樹也。往來者見其抱樹如痴。面有泥跡。知係鬼迷。救甦。趙自是知前世冤愆。遂出家爲僧。

（九）心鬼篇

疑心生鬼（一）

萬歷中。江陰小吏焦某。以楚中典史遷知事。赴任。江行。有楚僧募金。六百。將往普陀山樹刹。附舟而南。焦推僧入水。取其金。次日忽見僧從水出曰：『吾命已矣。金乃十方所施。終不爲君有。』自是日現形入夢。焦憂懼得病。抵家益劇。薦冤禳謝。無所不營。僧至必大呼曰：『功德何益。還我命來。要六百金往南海去也。』焦叩頭哀乞。終不聽時囊中金亦盡。一日僧持刺相訪。直入堂中。要見僕告主病。僧叱云「吾非募金者。有事見汝主耳。」焦方負牀呻吟。妻孥環泣。復聞僧來。大駭云「索命鬼變幻如此。不如速死。」奪刀欲自殺。家人方抱止。而僧已至前矣。謂曰：「某人也。非鬼也。去年風浪中。自分必死。忽有一燈引入蘆漪。遇漁舟拯脫。復募六百餘金。將往普陀償願。因過此。知君有異病。特來釋君疑耳。」焦曰：「金盡奈何。」僧笑曰：「吾本無意索金。何必如此。」舉家聞而羅拜。贈以衣履。却不受。一飯而別。倩人跡之。果乘南海舟去。自後鬼形遂絕。而焦終不自安。遂死。止一子。年尚少。方應舉。以親喪不赴。無故走江干。跳怒浪中以歿。僧自南海歸。聞而嘆息者久之

疑心生鬼（二）

崇貞時崑山李瑤圃之子伯馨有門下客號朱三鬍子。與僕輩通

謀。伯馨恨之。以一名刺送縣。囑收朱三付獄。僕匿刺僞報付獄訖。又一日以名刺囑討氣絕。僕復僞報已斃。事過未幾。伯馨病見朱三來索命。家人以先曾朦朧。不敢言其尚在。日禱神求免。卒不能解。

疑心生鬼（三）

明李元吉父爲華亭縣尹。被參。有心腹吏謀曰：「京中某公。權勢無比。若通其門路。事可立消。」尹從之。命家人劉陞謝榮攜銀三千兩赴京打點。時某公門庭赫奕。官員屢候不得見。何況縣僕。二人細訪。有優人梁胡二。旦。公所最喜。現住西河堰。二人乃用銀六百兩。覓江南上好菓品。及諸般玩具。俟其出府往餽。梁方十七。胡方十六。不知世事。一見家鄉品物。大喜收下。叩其來意。滿口應承。

次日進府。某公曰：「今日來何遲。」對曰：「有表兄到京。不覺久談。」公問表兄爲誰。答曰：「華亭縣李尹之子也。」公曰：「李尹已被參治罪矣。」梁胡跪求照應。公曰：「若非汝等雖萬金吾亦不許。今爾等遠離父母。情殊可憐。現今通州正缺知州。若將李尹陞任。離京密邇。可與爾等不時往來。吾亦放心。」梁胡拜謝。越數日。前參捺按不行。果陞通州。嗣後李尹認梁胡爲甥。與元吉認爲表弟。往來契密。儼然骨肉矣。豈知某公忽緣事拏問。波及餘黨。梁胡亦牽累黨內。連夜私逃。往李衙躲避。至則李尹推病不面。元吉笑面相迎。携手曰：「適聞二弟之事。使愚兄憂心如焚。但此地耳目衆多。萬不可留。可至吾山東家中。隱姓埋名。庶無人識。」又問帶多少盤費。答曰：「金銀頗有。因忽忽上路。不能多帶。所携約千金。」元吉曰：「二弟可至城外某僻地等候。吾差家人將行李盤費隨後送來。庶免張露。」又與二旦附耳密語方別。二旦果至某處。等至天黑不見人來。進退兩難。放聲大哭。有老僧見而問之。二旦以實對。老僧曰：「二子悞矣。此李某欲推禍出門。留爾盤費送回山東之語。乃詐也。若不速逃。則禍至矣。」二旦求救。僧曰：「吾庵乃先帝香火院。有司不敢查問。惟有出家可以免難。」二旦無奈。拜老僧爲師。連夜削髮。元吉自二旦去後。呼劉謝二家人曰：「渠係欽犯。擒獲送官。賞銀三百兩。吾留在城外某處。爾等可首官。得此賞銀。」謝劉同對曰：「公子差矣。主人免罪。陞官。皆伊之力。卽小人在京。承伊十分優待。是何等情義。恩將仇報。小人實不忍爲。」元吉喝罵二僕無用。二僕密告其母。母流淚曰：「逆子心毒至此李氏應滅矣』隨取銀百兩付二僕速往某處安插二旦所寄盤費俟查出交還又曰：『渠一日不死逆子毒謀不止爾可回說已經投河則其心便歇矣』二人領命至某處尋覓不見正在躊躇忽一小僧從寺中出視之乃胡旦也驚問其出家之故胡細告之旦曰：『二位想奉公子命送我至山東耶』二人笑曰：『師尚在夢中』備語前事將銀交給急急相別照母語回覆元吉後月餘元吉忽得怪症合眼即見梁胡二旦衣衫淋漓扯住索命狂叫數日以手扼吭而死但梁胡現在不知元吉所見是何鬼物亦足爲險惡負心者示戒

寃氣化蛇

皖省亳州貢生郜某家頗富住城西五里地名小鎮家多豪僕皆

倚主人之勢。橫行鄉里。鄉民陳老。有田數畝。與郜宅相近。禾稼屢被郜家騾馬踐傷。與之理說。反被豪奴辱詈。陳老自度勢不相敵。莫敢誰何。致成膈疾。年餘將死。一日喚工人至家作棺。謂工人曰：「棺後為我開一小穴。」聞者皆異之。問其故。陳老曰：「我被郜某欺。氣而死。自諒生不能報讎。欲死後變蛇。以食郜之心肝。方泄我恨。」工人笑而從之。至晚工匠歸。過郜宅。咸以此事為新聞笑語喧嘩。適值郜某閒立門外。見衆人狂笑。因內中有素識者。問之。其人即將陳老語相告。郜驚曰：「我實不知。」明日清晨至陳家云「前事皆家人放肆。故親來請罪。望翁宥我。」陳老曰：「公果不知。能將家人某某等。當我面責處。我即不恨公也。」郜曰：「可。」即邀陳老至家。將家人重責。又着叩頭陪禮。并留之小酌。陳老大悅。即能進飲食。忽胸中即嘔吐出一物。長尺許。衆視之。乃一小蛇。遊於痰沫內。郜駭然曰：「非我今日請罪。則翁必化蛇相報矣。」自後陳病亦愈。

地獄寫眞記

此記爲前淸光緒時金蓋山由漢溯湘赴桂。有長沙人官天福客死漢皐。其魂乞附舟至湘。金君在舟與友扶乩。官天福藉之以寫生前淫惡。死後陰譴情形。歷歷如繪。斷非弄筆文人可以假托。閱之警心動魄。眞可爲勸世戒淫之箴。且詩筆淸麗。足資文人之吟咏。故錄之。

江天月朗篆烟生。孤鶴南飛夜有情。船室無塵鉦鼓急。曉來卿靄帶風輕。（朗篆船曉卿等字皆切同人名號也）

吾今無事得友五人。欣雅集之可陪。盡今夕之情話。何如。

祇談風月不知年。如此良宵自可憐、香燼燭殘人未睡。何妨細訴夢中仙。

今宵香氣靄篷窗。鳳鳥飛來也是雙。前度碧桃花底醉。酒中豪興幾人降。

十年捫蝨隱江濱。一樣桃源客避秦。君輩飛騰霄漢遠。可能憶得舊時因。

浮沉塵海八千秋。不識兒孫馬與牛。只愛詩情芳草外。夕陽樓上笛聲幽。

第一詩篇却有情。君家各自憶芳名。最憐枕畔遊仙客。旅夢和愁到處驚。（同人云來者殆仙乎）

清香一柱曰仙乎。曾偏三山與五湖。何必尊前留姓氏。近來世事要糊塗。

吾去了。

鸞肩輕嚲五銖衣。纔近靑霄又倒飛。蒼莽乾坤皆醉夢。羣鷗江上轉忘機。

小蘋香居士。在生長名門。幼通六藝。十五年前客死漢上。今夕諸君在此。三生幸事。

故鄉親舊久飄零。逆旅何人眼送靑。從此天涯歸路斷。只依丹旐數晨星。

尚有所瀆。諸位當弗責也。時爲趙君朗誦天蓬咒逐之。半晌無字。

頻年落魄楚江濱。曾結良緣翰墨因。寒葉飄零何太苦。風前猶被蝶蜂嗔。

我非奢望於諸位。抑何見棄若是。哀哉。許君云如欲運柩還鄉。願任斯舉。我櫬被火。不克告歸。生於長沙。今求附便。但須日誦七如來二十一遍。書黃焚於水濱。抵長沙卽了。去年本欲謀返。但附民船。有神查察。卽有官船。未曾通謁。不能依附。吾姓官名天福。字蓉珊。叩託不勝冒昧。如蒙俯允。卽附舵尾。伏乞恩憫。叩首頓首。同舟諸君均允好極了。

風帆直指故鄉山。再造鴻恩不可刪。願祝行程千萬里。鵬搏鳳翥傍天關。

江天湛湛水悠悠。清福平生愧未修。莫叩蘭因兼絮果。船頭山氣挾雲流。暗藏天福叩頭四字

滿船賓客盡多情。載得微靈自在行。前路蒼蒼好山色。居然化鶴返鄉城。問誦如來合法否

多君兩日誦如來。寸紙書黃寄水隈。難得良緣逢此夕。清香如篆透蓬萊。時有喜奇語者

勸君休各訴風流綠意紅情總是愁夢醒雞鳴星月落更何人尚住溫柔

我生前好談閨閫善話風流曾有鄰女相狎以瘵而亡冥王判有大過八千七百六十四次罰絕嗣火櫬本欲發遣塞外因查得生前性尚直諒可贖一遣否則非故我矣可不懼哉夜漸深諸位欲睡天福可退如未睡尚可談（同人請吟詩）

一曲霓裳奏九天蓬萊闕下襲金仙黃泉嗚咽淒涼調敢賭宮商到綺筵（問生前得年幾何）

血氣未定陰律最嚴第一色第二殺生第三文人筆我生前得其二尚何言哉（問曾否得科名）

一領青衫已十年綺情多半悞生前東家宋玉風流業潦倒而今

尚未旋。（問家室何在）

不敢言。心欲割也。多分風流業障。大抵如斯。（問隣女何如）

東風芳草夢無痕。蝴蝶莊家莫再論。垂柳如絲花似雪。可憐人面月黃昏。

諸君莫笑。（問鄰女在否）

青絲覆額弄梅來。繡靸鴛鴦印碧苔。回首粧樓人不見。夕陽粉髑臥蒿來。（退）

銜波畫舫捷如梭。錦纜牙檣氣若何。漫道宵深詩趣足。懺餘綺語悔猶多。

赤欄橋畔畫樓西。漫喜仙桃洞口迷。多少穿花雙蛺蝶。秋衣零落不如泥。

休問藍橋路短長。仙家那復有元霜。雲歸總是蓬萊好。回首巫山枉斷腸。

筆花錯落淚珠圓。悔不生前早學仙。誤煞鴛鴦眞福祿。枉拋骷髏漢江邊。

劉郎不敢更題糕。咫尺神祇布九皋。寄語諸君各珍重。深江失足即洪濤。（同人意欲稟請守壇）

頃承諸賢哲垂青。聞之感激涕零。惟天福福薄命乖。生前孽障難逃。塞外之役。雖冥王鑒宥。而此去故鄉。尚欲待質神仙之路。何敢妄思。倘諸賢愛我飄魂。乞賜金剛經十部。（問何不作勸戒詩贖罪）死後悔過。已不及矣。（問憐女同罪否）

儂家倚馬走章臺。贏得羣花笑口開。誤我才華消我福。幾人攜手九泉來。既須待質。何不避在漢口。
天威咫尺大案未平半點流螢豈敢久依日月今我罪不足惜諸位能以不肖爲鑒則罪可減等陰陽之法小同大異陽律自作自受與人無涉陰法自已罪戻絲毫不隱能多告一人罪減一分問陰司奸律陰律不甚分明惟閨淫律誘良最重天福父諱思恩早歿母戚氏五月而孀遺腹得男故以今名以誌家幸十四歲依外家讀後知識初開血氣未定偶於市肆購得淫詞小說閱之甚悅每夜讀散塾待母寢熟自起篝燈細繹文義情由是而生冤亦自此深矣越數載母因責子不從鬱鬱而逝不孝之罪又自此積矣然不肖無夙根至死不悟竊謂親歿無人約束轉覺自便一日過親戚家見少年乳娘心忽大蕩乳娘固尤物遂

約乃諧。由是失足矣。後貧無依倚。乳娘他適。我遂充湘潭縣吏。公退無非作花裏之秦宮。朝朝暮暮。興不少衰。吏俸盡化於貞。母棺未葬。後燬於兵。人子之罪。深海高山。而猶不悟。時有酒家女。性頗貞潔。有老父在。囑女當壚。女不從。日惟刺繡爲業。我偵知其隱。約三四友日過其家。非醉不歸。女久久知我爲吏。心漸移。我窺得之。遂計使其父充捕役。他日盜劫鄰封。湘潭奉文同緝。我卽賄通家丁。保舉其父可勝是役。父卽持文去。我仍醉於女家。四顧無人。半成戲謔。由是女心亦相向。其父旬日歸。察女色甚慌。夜半細詰。女羞自縊。其父呼救。乃得不死。終不言。後我又計給其父。欲令女歸我。父不從。願賣爲富家妾。不欲作黔婁妻也。我無計可施。因卽慫恿其成。富者乃漢陽大賈。俟其事成。

即令其父銷捕役差。攜金之他省。我即訟富賈誤買有夫之女。縣官斷還金領女。我復以貧不堪贖。又恐女心從富者賄託賣花娘私許有田舍可活。且我時已入痒。與其爲富賈妾不如作秀才妻。女心亦怦怦。遂教到堂供詞。越日官提集人證。我即賄通幕客爲媒。乃斷歸我。富賈供曾與女父金。女以父命非誤買也。官詰既有父即傳來。女供父歿已久。官即責富賈既買其女。焉有不知。其父如欲平反。非父到案。不能爲爾顛倒是非。富賈口塞。又通同總吏及在庠諸先輩。公稟賈者爲富不仁。素有武斷名。如此行凶。萬不可宥。即將女斷與本夫領去。賈者求還聘錢。官謂平日行凶。咎由自取。本欲治罪。姑寬免究。着交保具領。越三年。女愁病而亡。富賈由是亦怨成疾。其父後客死他鄉。一案如此而了。我自女死後。惘惘無所歸。前案稍稍聞於縣境。恐敗露。遂浼在庠先輩薦於樊城爲質出官而故態復萌。鄰東有女。年十有七。姓朱氏。父母俱存。有兄嫂。其姊二十一歲。嫁楊姓木商。妹色絕麗。能歌識字。我即以詩私約。先與其兄訂交。兄好葉子戲。終日夜不倦。我乘其隙次年元宵作燈會。因到其家作通夕飲。其父好酒醉而寤。兄亦與他客賭錢。我即潛入內廚。與其妹通。贈以繡帕金環。由是又成一案。其家久而察得之。將逼女自盡。我知之。計誘燒香。我攜之遁至武昌。朱姓礙於名不究。後遇歐陽達夫。係與曾侯家有眷。勸我改過。早歸故里。切不可流落自暴。我時如醉夢。癡迷不醒。不聽良言。達夫遂絕交去。又久之。達夫復遇於漢上。甚至涕泣而道。並告可偕往金陵。達夫不能強之去。從此貞絕矣。我在漢上。無事可爲。女私有蓄金數百兩。相與流寓。金漸盡。病漸深。壬申九月卒。哀哉。冥王拘至案下。時乳娘已死。斷我平生業障。實爲尤物所肇。並查其生前。誘人不少。遂治重法。發遣蒙古給游牧廠。我即欲發遣。因案證未齊。先將第一案發落。流寓而死。以報前女之父。火其骨以謝母也。遂判囚魄押繫湘潭縣獄。越周復提集女魂。對簿查女性貞白。我計誘敗。身將女罰笞千板。以示薄懲。夙根尚好。前生係苦行僧。因一旦見進香女子。調戲言語。故報後身終不成貞。今既已失節。餘無他罪。發往浙江雲棲再修矣。我仍繫獄。不知何罪。此年忽押解東岳。見鬼卒復提乳娘及酒家翁到。乳娘僅認其面。餘非人體。酒家翁身無寸縷。面若塗炭。我三人皆不言。惟見大帝將朱判遞交判官。即將他二人携出。我簽差押解江夏縣主。提富賈對質。查得富賈之財。得於不義。我之訟爲他人報怨。即將富賈同押。我久久不知案何以結。忽一日復提出。縣主擲下一朱諭。謂奉東岳命押旅店。不必拘禁。我即想遁回。又遇一卒云。「前案正多。豈宜逍遙自在。」我即私訊卒。卒言不押禁室。因有親戚獻華嚴經二十九部。但罪大。不能開釋。小住聽候傳訊。去年聞案將判。又往江夏探聽。據卒告明年當押赴湘潭。我訊其可否自歸。又告以可自投案。苦無安便。今見諸位開乩。我即稟明縣主。願自求便歸案。縣主即着到壇。諭中將即將功罪開呈。鈞鑒。我本末便詳說。恐諸招位唾棄不錄。午前聞蒙厚誼。欲採芻蕘。付諸同好。故將顛末錄求大才筆削成文。廣爲宣布有一人爲鑒。即少一刑。現知鄰女之兄已到案。鄰女展轉流連。亦將投案。故我先往。然是兩案富賈雖取不義之財而買妾無過。實爲我播弄。離人妻妾。罪恐難寬。朱氏一家又爲我敗其家聲。雖其中另有果報。而我居心不善。罪亦難辭。兩案並結。心甚耿耿。母氏劬勞。不能圖報。即爲畜類亦難蔽辜。今幸母氏一生節孝。已受上帝封誥。愛子猶如生日。曾乞帝前。故免發遣。痛哉哀哉。前火骨時。一卒由江夏押赴櫬前。將魂附尸。然後加火。痛苦萬狀。如萬牛分體。五臟迸裂。及至數月。痛苦漸消。故不孝之罪。萬不能免。人間久延親柩。一日十過。兒棄置不問耶。悔之已晚。夫復何言。將來尚不知如何結案。悔莫能追。苦哉苦哉。

退

凡浪子採花。其罪尚小。然青樓一宿。或遺其種。此苦更不堪忍。每至春秋時節。必押赴娼家。受彼宅神辱詈。凡有穢物。皆面給食故人皆謂宿妓罪輕。但不知遺種之辱也。此事關係宗祧。與不孝等。故律嚴而酷。須俟十年期滿。方脫此阨。我今無他奢望。但求各案早結。將來赴東岳時。不用迷性架足矣。迷性架三足。高數十尺。如檣木。中結火鍊。將魂附鍊。用酸棗水建瓴而下。水受火則若流星。魂亦四散。俟治畢。以蜣蜋附鬼。旋轉百回。再成本形。其靈盡泯。能免此法。則虛靈不失。尚可再與諸位領教。否則不堪設想矣。案結靈尚可存。即往生亦可留我智慧。以補前愆。不發輪迴。亦可逍遙山水。然恐不能。惟祈諸位速賜此篇剞而付梓。能勸一人不犯淫戒。我實受德無量也。言盡於斯。冒昧

無極。問渠前生何等人轉世

漫問生前月與風。玉樓有女繡絲工。偶然醉墮花陰裏。鳳子銜歸瑇瑁叢。問女身何得遽轉男身

乾坤九毅本無分。未必輕殘是練裙。但論平生賢與魯。金釵隊裏有奇勛。

諸位以陰陽分優劣。則乞丐賢於命婦。有是理乎。人間夫婦之合。以前生恩怨定之。有報德者。爲人婦。與人誕育令子。報怨者卽帷薄不修矣。今夕已艾。諸位稍息。丁馬二賢。腕力助我不少。叨擾萬分。不安之至。此行倘後會有期。必爲蛇雀之報。諸位在上。天福叩頭。不再言矣。退

一枝禿管日飛鸞。訴遍哀情淚暗彈。割愛願揮三尺劍。返魂誰贈

九還丹。愁如原草燒何易。寃潑江波浣亦難。惆悵鄉城今再到無顏重見舊園官。（問初到時詩何以飄飄若仙）好鳥枝頭乍破胎。漢皋遊興未全衰。當時羞澀儂家面。半掩羅紈不敢開。

今日感羣公盛德。未敢唐突。風流業障。如此難消。哀哉。初上公舟。恐被神逐。且陽氣方壯。非造次可接。不得已僞託仙家實冒昧之至。

情波慾海憐飄零。何幸羣公眼共青。斷送年華嫌綺語。護持絮魄仗金經。當時秋士心曾醉。此日春婆夢已醒。却喜清宵星斗下。焚香重與細丁寧。

諸位勿笑。風流孽續。陳障本不敢。因蒙明問。瀆述一切。亦果報也。朱氏自天福歸冥案後。終身流轉。漢口本之親故。又爲前害。不能歸至母家。哀哉。天福病裏。藥費不貲。債成山積。棺槻又費多金。無可措手。忽來狠心人先作圈套。僞妝善良。送錢四十三串。朱氏無可如何之時。深信好人。卽叩頭道謝。繼而謂少年孤孀。不宜獨處。招至狠心人家。到彼三日。忽怒駡索債。若不允卽驅逐。並欲指爲土娼。送官嚴辦。朱氏又叩頭求救。狠心人復挽人說合。既不完錢。當以身代。朱氏遂迫爲彼妾。其後正妻聞之卽辱駡毒打。欲出無門。難生難死。半月苦楚。身無完膚。後將朱氏轉給其族人無賴者。後無賴賭被官獲。朱氏爲縣差所得。迫爲娼。鴇母不甚愛惜。病甚。逐之。遂斃於路。其至輾轉飄零。亦天福生前計誘所害。朱氏無過。哀哉。年三十六。問渠在時朱氏何年歲　二十一歲。
紅塵香夢醒蘭房。紙帳梅寒更帶霜。回憶東風搖落後。朵花蜂蝶
太猖狂。
香殘重對可憐宵。刦刦相乘佛不饒。覆水難收花墜溷。世間何苦
盜紅綃。
慾海沉淪似醉迷。曉樓笑語夜臺啼。春歸柳葉多黃落。莫更逢人
唱大隄。
停香小住意纏綿。青眼如公亦可憐。多謝誦經朝復暮。飛花孤負
九重泉。
天福罪重。生負五倫。死拘九地。刀山劍樹。莫可潛藏。自作自受。
哀哉傷哉。問彌留時何以別朱氏

杜鵑啼血月輪斜。樓閣燈殘走夜叉。弱質蓬頭珠錯落。繞床無語惜年華。（問病中情形）

綠璃窗下藥爐烟。愁對牛衣百慮煎。金盡床頭花命薄。可憐借隱僅三年。（問朱氏流離見過否）

一墜紅樓不是珠。千金難贖繡羅襦。夜深月冷鴉啼樹。無復凝妝與玉俱。（問病幾許時）

吟肩瘦削骨成稜。纖手憑欄冷握冰。經歲文園愁臥病。鏡中不見曉妝凝。（問未病以前何如）

年華如水誤情癡。揮手紅塵敢繫思。愛我微靈休絮問。樽前腸斷恐傷時。（問朱氏有詩否）

吟囊賸得衍波箋。的的珠璣帶露圓。鏡檻悲涼鸞影冷。舊時紅葉

化秋烟。（請錄朱氏舊作）

樓頭新月一鈎斜。半面妝成愧賽花。天上姮娥何冷淡。窗紗扶上玉梅遮。

小作已愧大家。冤孽相報。言之涕下。因諸公厚意。約略憶及。餘皆遺之。（問何案最重）大者兩案。即開呈鈞覽者。餘尚有風流孽障。過尋常發落。猶不足怖。所苦兩案耳。乳娘已給游牧廠而故夫尙在不知何判。母氏超升。不加責罰。然東岳治以不孝之罪。先火尸。僅報其當年不葬。至於保抱苦心。竟置度外。斬祖宗之祀。負母氏之恩。祖宗未轉生者。至有來案以訟之。總而言之。咎由自取。哀哉。惟逢菩薩。不論何罪。可解紛釋怨。（問見菩薩如何）如逢菩薩過境。望見淸圓彩光。枷鎖立釋。菩薩前由浙赴何南。仰見一次。當時天福初拘須案定後逢之則恕關帝光亦在彼見過兩次紅光後有金甲神隨之問牛頭馬面有否未見當時投到僅見左右站立二十餘人旁置枷杖鐵練問冥刑刀山劍樹炮烙水牢抽腸拔舌皆有今天福將去蒙恩旬日感戴莫名罪積山高法無寬貸惟乞諸位將前呈果報芟削詳明宣布四處俾作殷鑒綺語乞刪除殆盡此去恐永不超升靈明之氣恐不復有誤盡聰明百身莫贖諸位善氣接人福祿極厚惜一寸之光陰保三生之福慧留有餘之血氣爲宗室之光榮篤實以裕後昆仁恕以馭僕隸勿誨淫而談閨閫勿貪花而作冶遊存心忠厚爲士林之圭臬行事老成當國家之璠璵聰明太露非眞聰明陰騭不聞是大陰騭讀書不看盲詞寫畫務除祕戲能不作離文訟狀眞爲惜字

之人能廣傳妙果良因方是修行之士天福無及悔不可追。羣公多才誠難預量鵬摶風健鵠翚日深言盡於斯願同奮勉叩首。退

枯木江皋凍霧黃。陰陰沙嶼影蒼涼。前津迷斷還鄉夢。那有中流大士航。

平原漠漠半陰晴。沙鳥扶雛款款行。愁絕旅魂歸路黑。淒風苦雨是鄉程。

諸位高恩辜負了。乞再書船神堅屬來差。勿加囊木（書寸紙燒給）感恩無既。此刻不能多言。哀哉。退矣。

神在淫為惡首。菩薩不救。輕則削名。重則絕後。勿謂天高。神祇左右。賞罰無私。絲毫不苟。爾等有生。慎獨是守。孽海沉淪。法無

寬宥。孽類已押。爾等速罷。我有公在。不便多留。升

國家圖書館出版品預行編目資料

冤孽 / （清）陳鏡伊編
-- 初版 .-- 臺北市：
世界，2015.08
面；公分． --（道德叢書；14）

ISBN 978-957-06-0540-2（平裝）
1. 道德 2. 通俗作品

199.08 104014630

世界書號：A610-2172

道德叢書之十五

冤孽

作者／（清）陳鏡伊編
發行人／閻初
發行者／世界書局股份有限公司
登記證／行政院新聞局局版臺業字第〇九三一號
地址／臺北市重慶南路一段九十九號
電話／（〇二）二三一一一三八三四
傳真／（〇二）二三三一一七九六三
網址／www.worldbook.com.tw
劃撥帳號／〇〇〇五八四三七 世界書局
出版日期／二〇一五年八月初版一刷
定價／台幣一六〇元
道德叢書全套十四冊，定價二四〇〇元